不管 15 歲、35 歲、55 歲或 85 歲，

與這本書相遇，總會看見光，照亮旅程的前方。

2018.11.20

無歧行

三部曲

異｜星｜棧

林秀兒

天鵬文化

念起，剎那間；
點落，隨意飄；
線行，彎彎曲曲；
沒了對錯，沒了美醜，
沒了時間，沒了空間，
沒了逃避，沒了追尋，
沒了思議，沒了期許，
當下即是。

當下，
有了唯一渴望的未知路，
有了無歧地的全然豐盈，
有了體驗夢想的實踐路，
有了無歧行的創意樂章，
邁向無限可能創意人生。

推薦序

時空行者輕快優雅的冒險史詩

黃海
資深作家、評論者

中西合璧，不可思議的太空《西遊記》和科幻意謂的宇宙《奧德塞》，暗示出一場實相追尋之旅。以幽微幻化之姿，呈現優雅迷人的追尋；以美麗歌聲，唱出現代、後現代的宇宙和心靈探險，深具玄妙哲理，空靈之美。

讀者們，如果你打開這本書，想要看看時空戰士叱咤風雲，在太空中揮舞光劍或激光槍、發射雷射砲、穿越蟲洞、有如都市般大的太空船瞬間移動飛行，與太空邪魔激戰，你會大感意外。

原來，《無歧行》三部曲，是如此恬淡與壯麗，如歌如詩，輕快優雅的冒險史詩。

是少年童話，也是成人寓言

《無歧行》三部曲，主角們從啟程、流浪冒險到回家，在虛虛實實的時空中旅行，來來去去，去了又來，從亙古到未知的遠方，探索生命與撥開未知的渾沌。整部書，以幽微幻化之姿，呈現了優雅迷人的追尋之旅；以美麗歌聲唱出現代、後現代的宇宙和心靈探險；是少年童話，也是成人寓言；是太空《西遊記》，融合了太空《奧德塞》的精神。

故事的深層肌理，應是作者半生心靈體悟。這樣一部二十二萬字的大著，林秀兒窮盡八年的時光，用心打磨編結的作品，無疑是作者生命與思想的投射，是她對宇宙真理與生命真實的自我叩問。

文中不時出現的「時空戰士」一詞，毋寧說是「時空旅人」、「時空行者」，沒有悽慘的仇怨，沒有激烈的廝殺砲火，沒有毀滅戰爭或恐怖死亡，更多的是在

奇思幻境中，面對宇宙生命的永恆追尋。雖然是少年小說，卻探索了少年成長之後屬於成人領域的未知。

林秀兒，這一顆燦亮星星，能畫能寫能講，活力十足，致力推廣動態閱讀二十多年，說她多才多藝是小看她了，她把兒童文學當作信仰，也擅長做田野調查，甚且漫遊多國文化環境，基於對文學、藝術的參透，耗盡心血，完成了這部大著。

什麼是「無歧地」、「無歧行」，如果你望文生義，猜謎似的讀下去，到了中途也許就有所開悟了。無歧地，也許無奇不有之地，還有其他的意涵，等著你去揭開詮釋，不難找到合適答案。

縹緲玄妙，嚴肅哲思的探究

布幕拉開時，密令下達，是誰下的密令，密令從何而來，完全不知道，充滿玄祕未知，有如存在主義的思維，旅人們只能執行，任何行動只能依著密令而來。故事起於現代，主要人物是以行、稚盈、阿光三位少男少女，三人成團，不知不覺對應了《西遊記》裡，跟隨三藏取經的三個徒弟。主角之一的名字「以行」，隱喻孫行者，至於師父嘛，就是那密令吧，啊哈，等下觀世音也來了，擔任文化檢測的關世英，不是嗎？

建造時空梭，是為了文化傳承與建設的根本工程。首航目的是「搶救神話」，因為，神話能傳遞宇宙生命的終極意義，如此縹緲虛幻，又義正詞嚴，表達了玄妙哲理之美。神話只是想像、隱喻的故事，也許從來就不是真的，小說的結尾提示了真相，到神話中走一遭，是生活的必需，讓人有深沉的感悟，畢竟神話中保留了人類原始的真實。

情節推進圓融剔透，「無歧行」的命題，意味著不可思議的旅程，不是朝向科幻或科技的驚奇，是導向了浪漫步調卻浸染了嚴肅玄妙的時空遊戲。

原來，作者秀兒曾經一度用心鑽研，深深墜入E.B. 懷特的奇幻文學世界，還完成了《E.B. 懷特奇幻文學網》的研究論述。我們恍然大悟，懷特的浪漫主義、現代主義、存在主義和後現代主義的創作觀點，可能深深的攫住秀兒的心靈，《無歧行》裡裡外外融合了懷特作品的風味。文中反覆表述「無就是我，我就是無；一無是處，一無非處……」是如此的存在主義和後現代，有如佛家偈語；於是，密令無所不在，但又不知從何而來，也不知是誰下達的，只知道必須前往宇宙冒

險。這樣的設定，不是傳統的寫作思維。

現實與幻想，中西合璧，瑰麗交響樂

懷特的奇幻文學，被歸為現代幻想文學，他的「童話小說化」也成為秀兒的文學實踐。懷特《夏綠蒂的網》以簡單和樸素的聲音敘說故事，秀兒的童話小說的每一句行文，短而淺，意也真，簡單樸實而優雅，深具空靈之美。

珍・葦柏（Jean Webb）評論《夏綠蒂的網》，是現代主義小說，它聯結寫實與幻想兩種文類，也運用浪漫主義、現代主義與存在主義，探索諸多生命議題，我們則在《無歧行》三部曲，看到現實與幻想兩者之間，具體而奔放的交響演奏。

《希臘神話》也提供了秀兒想像魅力，注入她的作品血脈。三部曲給了我們一場玄妙無比，並兼帶有科幻意味的宇宙奧德塞，哲思無限。主角們首航離家，經歷冒險以至返家的壯麗曲折之旅，童話小說文字劈哩嘩啦傾瀉而出，有如一闕又一闕雄渾樂章，輕快筆觸所及的畫面色彩和聲音軌跡，浪漫迴遊，人物穿梭天外天，迷航飄盪，最終找到回家的路，這和荷馬史詩《奧德塞》主人翁的偉大冒險精神是一致的。

美國著名的科幻學者詹姆斯甘恩（James Gunn）在他六大冊的巨著《科幻之路》序文說道「《奧德塞》是對已知世界的一次假想探險，其中也有對未知世界的推測，而未知世界因無人涉足更具魅力。」如果把《奧德塞》的旅行放在太空裡，人物穿上太空裝，便是有如一般科幻小說所呈現的「驚異之情」。《奧德塞》無疑是所有科幻奇幻作品的原形，林秀兒的《無歧行》將現實與幻想融為一體，是這一原形的彰顯。秀兒將之中西合璧，思路中融合了《西遊記》的取經之旅。

詩性童話小說，吟唱量子實相

一如懷特的作品，秀兒同樣以童話小說的格式揮灑，別具一格，加入諸多虛幻元素，出現了宇宙探發局、星系圖、寶藏屋、獨角獸、機器犬、小雞盤、百馬圖、四頁天書、太初蛋，奇妙的科幻道具不一而足；無線腦機，收集旅人的想法資訊，規劃旅程；或者，「有的沒的，沒有有的和沒有沒的，有無的和沒有無的，沒有無的和沒有沒有無的」層層包覆，彼此穿透，堆積如山的寶物以粒子緩慢流動著，旅人也化身成粒子，看著物質死去又活來，看著一切什物波動；類似以上這樣玄奇抽象，俏皮詼諧的敘述，暗示這是一場實相追尋之旅，為了探究靈魂深處的真

實，有如夢幻般的遊戲。

第二部《忽巄島》出現了飄移的忽巄島、樹精、搥丸遊戲、古墨海、虛擬牆、鐘鼎怪。第三部《異星棧》神話號時空梭正式啟行，經歷綠林圻、時空堡、白光堂、黑魔域，告別舊有世界，質化躍升，在荒涼闃寂的時空裡，晃悠著詩的步子，他們也能潛入意識海的底層，看見一切鏡像，竟是幻化無常，遇見大巨怪，而無意義的虛點，就是實存處。

這樣的敘述，讓人想起量子力學的說法，我們的世界是虛假的，包括你我的存在，都只是波的作用而已。時空梭，以旅人的思想力，作為真正航道的依據，以旅人的願望，作為續航力的調度火花，這一點和現代發現的不明飛行物體的駕駛，是外星人使用意念操控的說法，竟然一致。旅人的起心動念，不論無知無覺，或是了然知覺，都會攜帶念力，影響航程。遇見的妖魔鬼怪和展開的戰役，行吟詩人的唱腔流瀉出歌詞，讓整個三部曲，顯現出童話與詩氣質的小說。

既然「無就是我，我就是無」、「是空非空，無有在其中，虛空中，並不是空空如也，而是存在著所有物質的本來……」且讓我們期待，秀兒在《無歧行》之後，又將繼續出發寫出更壯大的遠行史詩。

推薦序

從巴什拉《夢想的詩學》邂逅《無歧行》三部曲──

杜明城
國立台東大學兒童文學研究所 教授

孤獨是童年極可貴的領土，也是夢想的棲息化育之地。童年與暮年，循環返復，融而為一。

閱讀林秀兒的《無歧行》三部曲時，我正好帶研究生討論法國思想家巴什拉(Gaston Bachelard) 晚期的著作《夢想的詩學》(*The Poetics of Reverie*)。巴什拉以榮格的學說為經緯，雖是學術著作，但筆法飽含詩意，信手引述文學作品，彷彿為他所弘揚的夢想身體力行，通篇主張陰性特質的阿尼瑪 (Anima) 乃文學靈魂之所繫。我們戲稱榮格學貫中西，其學說旨在尋求精神之圓融，美妙而迷人，似乎有道盡宇宙與生命奧秘的玄機。但若從科學否證的立場加以考察，說了半天也等於沒說。《夢想的詩學》文筆頗為隨興，似乎不準備以嚴謹的邏輯說服讀者，對榮格如此深信不疑，實在令人困惑。但話說回來，巴什拉是二十世紀舉足輕重的科學哲學家，他從現象學的觀點切入，認為文學無非是意向 (intentionality) 的作用，創作無疑是主體種種無意識力量匯集的成果。一般認為，原型心理學帶有神祕色彩，但似乎又與當代科幻小說密不可分的量子物理學和相對論頗有共通之處，只是方法不同，詞彙有別罷了。

由於順序上的誤讀，我先瀏覽了《無歧行》三部曲的第二部《忽巃島》。我隨著意識牽引著讀，只覺得似懂非懂，人物與情節都有點模糊。於是我翻閱到作者本人的自述〈從生命迷宮到文學荒原〉，訴說著她從童年到年過不惑的生命歷程，彷彿遊走在現實與夢想之間，虛實相互為用。我突然有心領神會之感，《無歧地》固然採取科幻小說的形式，卻是不折不扣林秀兒個人生命史的投射。《夢想的詩學》獨闢一章探討童年的夢想，而《無歧行》三部曲的情節、對話與想像

正好呼應了童年與夢想的交互關係。《夢想的詩學》似乎巧妙地提供了我解讀林秀兒的符碼，我不禁想到榮格所謂的共時性 (synchronicity)，一種非因果關係的巧合。

佛洛依德的精神分析 (psychoanalysis) 與榮格的分析心理學 (analytical psychology) 都把童年的心理現象做為探視人類心靈的主軸，但從巴什拉的觀點，兩者的取向卻大異其趣。他認為精神分析讓所有了不起的詩人都降格為凡人，而榮格的阿尼瑪卻可能讓不起眼的作者閃爍生輝！前者看到的童年都充滿著缺憾，而後者是童年為個體化歷程的根苗。巴什拉是這麼說的：

> 「夢想中的人穿過了人所有的年紀，從童年至老年，都沒有衰老。這就是為什麼在生命的暮年，當人們努力使童年的夢想再現時，會感到夢想的重迭。」(127)

> 「孩子的孤獨比成年人的孤獨更隱秘。經常是到了生命的暮年，我們

才發現那深深隱藏著我們孩提時代的孤獨，我們少年時代的孤獨。在生命最後的 1/4 時期，人們將老年的孤獨反射到被遺忘的童年孤獨上，才理解到生活最初 1/4 時期的孤獨。夢想的孩子是孤單的，極端孤單的。他生活在他夢想的世界中，他的孤獨不像成年人的孤獨那樣具有社會性，那樣與社會形成抗衡。孩子有一種對孤獨的自然夢想，這種夢想不能與賭氣孩子的夢想混為一談。在他感到幸福的孤獨中，愛夢想的孩子進入宇宙性的夢想，即是我們與世界合為一體的夢想。」(135)

「孩子的想像翱翔的天地並不是這化石般的神話，不是這神話般的化石，而是他本身的神話。孩子是在自身的夢想中發現神話，發現他不向任何人講的神話。那時，神話即生活本身。」(149)

我引述了以上三段文字來呼應林秀兒的自述，也從巴什拉對於孤獨童年的思維來欣賞《無歧行》三部曲。感同身受作者搭上名為「神話號」的時空梭，遨遊在各種靈魂歷險的超時空。童年時期家庭生活的點點滴滴，在首部曲的人物對話

裡找到記憶的歸宿。孤獨是童年極可貴的領土，也是夢想的棲息化育之地。童年與暮年，循環返復，融而為一。線性的時間先後只是宇宙的一種可能，於是，我發現自己逆讀《無歧行》三部曲竟也有另一番恍然的趣味。

我沒有從科幻小說的角度來欣賞《無歧行》三部曲，事實上，這部作品同時也蘊含了豐富的童話與奇幻小說的要素。就我的閱讀所及，林秀兒的作品是一項頗有野心的嘗試，也是很具有知性趣味的創新。我毋寧相信這是作者本人生命史的文學偽裝，字裡行間處處閃爍著她對於時間與生命的驚嘆、了悟與真誠！

引用資料：
加斯東．巴什拉著，劉自強譯《夢想的詩學》北京：三聯書局，1996.6

推薦序

回到最初的地方

李明珊
兒童文學家／教師

「無論遠到多遠的至遠處，還是在至近處，就在生命的本來，生命的核心啊！」

林秀兒在她的最新力作《無歧行》三部曲中，藉由一場場迷離奇幻的時空旅行，反覆地叩問生命的本質。

作者發揮了無邊無際的想像力，佐以輕盈曼妙的文筆，創造了一個個靈動的異域，這異域可以說是陌生的他鄉，也可以說是熟悉的故鄉，「它」存在於每個人的心底深處，也是每個人的所來之處。

作者擅長刻畫人的心理轉折及其幽微的變化，與書中所透露的哲學性思考，相映成趣。閱讀此書，恍若進入一條悠遠而深沈的長河，在點點波光中，照見自己。

首部曲《無歧地》，故事一開始，書中三位充滿熱情的少年，在網路上無意發現時空旅行的訊息，搶票成功後，懞懞懂懂地進入另一個時空。作者若有似無的營造出一個個神妙的場景，如稚盈在噗突抱竹圖書館前方，目睹一大群來自四面八方的鳥兒，在一位銀髮老嫗的環視之中飛翔，如百鳥朝鳳般翩翩起舞，這似乎暗示著即將展開的奇幻旅程。

而在「八面鏡廳」裡，以行在鏡子與鏡子之間閃躲奔竄，意謂著人在人際、社會與世界的鏡像中迷亂而失去自我。而後在一連串「不得其門而入」的誤打誤撞之後，旅人們隨著聲波，跨越語言文字的障礙，來到了狀似插播在原始綠林裡的「宇宙探發局」，而阿光卻在自卑心理及固有成見的作祟下，抗拒起自己像「東西」一般的轉交到「引路人」的手裡。不論如何，他們終究一起進入了層疊波動的「寶藏屋」，初識了宇宙之書。未被開啟的奇異天書，是一顆烏金打造的「太初蛋」，

敘說著整個世間、宇宙的生成化滅的實相。

正式踏上旅程之前，時空旅人接受「文化潛血脈」的施測，每人選擇了屬於自己的時空旅程，也發現了他們所背負的使命與任務，那就是「搶救神話」。因為神話顯現了生命的本質，誠如作者所言：「每一趟時空旅行，會是自我追尋的歷程。真正的旅程，就能還原神話，走向回歸的大道。」

二部曲《忽巄島》，時空旅人們在旅程中遇到的種種事物，都有其象徵意涵與隱喻，也引發了旅人們內心的自我辯證。例如：「樹精」象徵友誼的高貴與情感的牽絆，而旅人終能發出善意，與之進退踩出優雅美麗的步伐。「古墨海」隱喻文字裡的意識交流，在墨黑的浪潮中可以創造出新的時光；「蛇牆」暗指物質世界的絢麗，但一不留意就會被其迷幻的表象迷惑，慾望如厚牆般阻撓心靈的去路；「時間鐘」指涉人的心理時間，如蝸牛般慢步或如流沙般快活，人們時常被困在時間裡，殊不知時間隙中剎那即永恆的真諦。「銅鼎怪」鏗鏘有力，看似銅牆鐵壁的阻力，卻是最忠誠的護法，考驗旅人是否真有「一言九鼎」的誓願與決心。

三部曲《異星棧》，旅人正式蛻變為時空戰士，因為他們面臨一場又一場的戰役，他們的旅程進入了更深層的異次元世界。這戰役源自於自我內在的衝突，也同時是對現實世界的挑戰。如榮格所言：「領悟陰影，是人類的責任與義務。」書中的三位主人翁，若想要真正理解自我內在的陰影，不能光用腦子，還必須付諸行動，親身體驗。

於是他們搭上了時空梭，到了不同的國度。在「烏里哲索星」中，以行等人面臨失衡邊緣，體驗到自己是億萬光年中演化的一顆恆星，看見自己極微細的粒子及極巨大的能量。在「罵爾星」中，赤煉火光延燒大海，阿光奮不顧身試圖救出火海裡的父母，緊接著與自己內心棧戀權杖的大巨怪搏鬥。在「墟冥思星」中，稚盈親炙女媧造人的溫暖境遇，也揭開過往母親離去的那一段悲傷記憶，向自己頑固的意識宣戰，並與異性夥伴們經歷了青春期的騷動與不安，走向回家的路。誠如作者所言：「越是黑暗，越需要勇敢地搗碎平日生活中那套思維模式和價值判斷系統，拆卸身上的行囊，為自己掙得一方新天地。」

此套書蘊含大量豐富的訊息，字字珠璣，饒富真理，意旨閎深，細細咀嚼，方能體會其中三昧。書中指出「念頭」的重要性，人們因為念頭流浪生死，忘記自己的本來面目，而將自己困在物質世界中。而意識的波動，能創造出一個又一

個不同的時空維度，也能造化出宇宙萬物。三位時空戰士，因為擁有「年輕心靈」，才能進入另一個時空，在旅程中提取一個又一個奇異微小質素，使自己有了更深的領悟。

密令無所不在，只是旅人需要保持敏銳度，才能接受召喚，並加以感知與觀照。欲展開「無歧行」，令人聯想到老子道德經中所云：「致虛極，守靜篤。萬物並作，無以觀復。夫物芸芸，各復歸其根，歸根曰靜，是謂復命。」吾人需要歷經一番「靜、定、安、慮、得」的自我修持，方能回到那最初的地方。

貫穿整本書的主旨乃是：「一場探索宇宙生命的實相之旅」，而我認為作者本身仿若時空戰士，她勇於闖蕩，展開一次又一次自我的心靈冒險，讓身為讀者的時空旅人，循著她的足跡，踏上她為我們悉心鋪陳、一條多彩的西天取經之路。沿路疊影複沓，柳暗花明，但終能一步一步接近心靈的原鄉。

日本心理學家河合隼雄在《閱讀孩子的書》中指出：「當我們和靈魂世界發生聯繫時，那種奇妙的命運，那些發生的事件都是一種必然。」與同學秀兒結識，在書中認識到更完整的她，並為此書寫序……種種機緣湊巧，像是讓我們成為這偶然中的必然，在宇宙洪荒中的某條通道相遇。

閱讀此套書，除了感受到作者文字獨特的美感，更能體會到作者的匠心獨運及其對生命的終極關懷。我認為這套書跳脫了一般小說的書寫形式，像是一套揉合了神話與寓言性質的哲學小說，需要放慢腳步，細細品讀。所謂「你的洞見有多深，你的解脫就有多少」，生存在這個熙熙攘攘、紛紛擾擾的世界，我們需珍惜光明美好的一面，同情陰影的存在，不再恐懼，將一份理解化為內在的力量，繼續向前走去。

這是一套引人深思與探究的奇書，誠摯推薦！

作者序

從生命迷宮到文學荒原

故事，遠從亙古綿延傳來，還向著未知遠方傳去。
故事人說故事，說真說假通天地，故事真章達宇宙，
就這樣，邁上生命的終極旅程，契入故事渾沌大力量。

最初的質問

小時候，總是愛跳格子、扮家家酒、躲貓貓等遊戲；大稻埕，就是童年的歡樂天堂。

那時，活蹦亂跳，貪玩的心，總是不解家中的小黑狗，為什麼老是趴在冬日暖陽下，一動也不動？大白鷺，為什麼總在池塘邊，站成一副雕像樣，一動也不動？

童稚的心，就是好奇，就是不明白，而有了最初的質問。

可是，在那個有耳無嘴的時空裡，習慣性地，把不明白的事情，留在小腦袋瓜裡；順從地，選擇做一個聽話的小女孩，好博得大人的稱讚與肯認。

國小六年級，是童年的尾聲。有一天，看著站在竹籬邊餵雞群的媽媽，好奇地想著，媽媽的身體，怎麼會是圓滾滾的？印象中，似乎直到那時，才第一次看到媽媽，變得那麼胖。

矇矇懂懂的童年，就是好奇，就是不明白，而有了對生命的質問。

可是，在那有耳無嘴的歲月裡，習慣性地，把不明白，留在小腦袋瓜裡，暗暗翻攪。

因此，早早就知道，話語之前，是想，還愛胡思亂想地，陷入自己的幻想國度裡。

有一天，林老師跟我說：「下了課，直接回家，別出門玩。你啊，多了一個弟弟囉！」

「多了一個弟弟？怎麼會呢？」矇昧無知的自己，無力回應，突如其來的變

化。待要轉身離去時，又聽到林老師喃喃自語：「幹嘛多生一個？」

剎時，真不知為哪樁，紅了臉，沒來由的，羞愧不已！然後，不知所措地，興起一陣惱怒。

下課時，進了兩棵大榕樹拱成的綠庭門，踏上大稻埕，就聽到娃娃的哭聲，於是，飛奔入屋。

迎面而來，竟是堆得像小山般的尿布，剎時，止住飛奔的短腿，措手不及地，紅了眼，淚珠在眼眶裡打轉。

這一幕，爸爸瞧在眼裡，什麼話也沒說。隔天，家裡就多了一臺未曾見過的洗衣機。

有一天，媽媽遞給我小弟的奶瓶說：「給妳，把它喝掉。」接過奶瓶，聽話的打開瓶嘴，直往嘴巴送，剎時，未曾聞過的奶臭味，驚得我緊閉口鼻，偷偷地，握著奶瓶，走向屋後的龍眼樹，看著樹下的餿水桶，自我衝突不已！

「小弟什麼都沒吃，只喝奶水，就能長大。這奶水，是生命之泉。」

「可是，這——好恐怖喔！」

「隨便糟蹋食物，會被雷公劈死。」

「可是，我就是怕啊！」

不得不，我又舉起奶瓶，緊捏鼻子，硬逼自己，就要灌進從未喝過的嬰兒奶水；突然，一陣噁心，作嘔起來，只好作罷。然後，雙手捧著奶瓶，對著龍眼樹和餿水桶，恭恭敬敬地，行了三鞠躬，邊拜邊唸唸有詞：「雷公伯，對不起，我不是故意的，我實在不敢喝，喝不下去啊！雷公伯，請不要劈我，我會乖乖啦！」然後，慎重的把每一滴奶水，倒進餿水桶，才安了心。

無語的省思

國小畢業時，所有的玩伴，不管大小，都會騎單車，都能在大稻埕轉圈子，在顛仆泥地上追風。而自己只能站在大稻埕邊，乾瞪眼。新生訓練前一天的午後，爸爸牽回一輛嶄新的寶藍色腳踏車，在大稻埕上跟我說：「這輛腳踏車給妳。」

我盯著腳踏車，什麼話也沒說。

「走路去明倫，要一個鐘頭。妳自己決定，要走路上學，還是騎車上學。」爸爸說完話，就把腳踏車和我，晾在大稻埕上，自行離去了。

結果，半個鐘頭後，我自己騎上腳踏車，追風去了。

那一天，爸爸送給我的寶貝，不只是嶄新的腳踏車，還有絕對的信任。

爸爸的信任，給了我信心，給了我自主權，克服了多想的害怕，滋生了一種我能我行的信念根苗。

這些童稚曚昧的記憶，自導自演的戲碼，一直殘留在腦海裡飄盪，三不五時蹦跳著，讓我忘不了。日復一日，這些個曚昧無知的記憶與自我質問，累積出意識能量，添了企圖心，成了一種內在需求，直想搞清楚，我是誰？

這樣的內在需求，在第一次接觸到英文版的《希臘神話》時，隔閡的語言，陌生的文化，根本就看不懂那些糾葛的權力慾望、龐雜混亂的眾神族譜和玄思異想的浪漫故事，卻又盲目地，受到某種不明的召喚，而騷動不已！

下課時，總是緊黏老教授，追問著不知是什麼的東西，陷溺在神話迷宮裡，不可自拔。學期要結束時，教授語重心長的提醒我：「別太著迷，這樣子，會餓肚子。」

師長的話，是關愛與護持，卻嚇壞了我，斷然地，把神話拋得遠遠的，不再追著虛無飄渺的幻想夢境。對於我來說，這事關係著基本需求，關係著獨立，關係著能不能存活的事實。於是，心念一轉，就煩忙於現實生活的追求，不經意間，也深埋了探問真相的小種籽。

謎團的糾結

想當年，村姑如我，對校園世界，仍是青澀迷茫；對未來人生，更是徬徨無知。面對週遭事物，腦袋瓜卻又總是迅速波動特強的電波訊息，無知無覺地，多想了些什麼，而有了不必要的苦楚；莫名其妙地，想多了些什麼，而有了不必要的害羞、不安、逃避、恐懼，老是陷入自我折騰，還自以為是。

大學畢業後，結了婚，為人妻，為人媳，為人母，忘了大海，忘了藍天，忘了自己，成了拴繫纜繩的一葉扁舟，搖晃在定錨的港灣裡。

港灣裡的一葉扁舟，躲開了外頭的颶風巨浪，卻躲不了閉塞狹隘時空裡的內在風暴。於是，芝麻綠豆，雞毛蒜皮，都有可能在定錨的港灣裡，翻攪出沒必要的浪濤，挑戰著跨出原生家庭和校園保護傘的自己。

還好，執拗於愛，挺過了風暴；因著愛，浸淫於親子共讀中，乘著故事文學的羽翼，平衡了柴米油鹽醬醋茶的現實，告別了像《糖果屋》中，潛伏的飢餓恐慌感，翱翔於物質世界與文學時空。

旅歐期間，一家人時常漫遊於多元文化國境，走馬看花地，出出入入不少博物

館。看到畢卡索的原稿畫，曾直白的對兒子說：「畢卡索的畫，很像你的畫耶！」

「醜死了。」六歲的兒子，氣的不得了。

我卻困惑著，這麼有名氣的大家，怎麼會有這樣的塗鴉？

在佛羅倫斯，李奧納多・達文西博物館，驚嘆著：「他怎麼可能畫出《蒙娜麗莎》、《最後的晚餐》等曠世巨作，卻又是科學家、工程學家、幾何學家、物理學家？他怎能擁有如此超乎想像的獨特創意與博學呢？」那時，真不知是崇拜，還是其他原因，買了一件絕對不會穿的T恤，留存在衣櫃裡二十多年，直到家中遭白蟻之害，才不得不丟棄。但是，維特魯威人（Vitruvian Man）的圖案，卻圖騰般烙印在我的腦袋裡。

謎團的拆解

一九九四年回國後，寫寫故事、兒歌，親炙兒童哲學，經營非營利公益社團，成為故事人，走上閱讀推廣路。有一天，老友突然跟我說：「妳的說話聲，沒有了童音耶！」

「啊，都三十七歲了。」剎時，一陣驚心，撞見未知的自己，暗自吶喊著：「爸爸呀，你在秀兒的名字裡，藏了什麼樣的生命密碼啊！」

時光匆匆，一場場的生活實驗，就從懵懵懂懂，跌跌撞撞中，通過了文學、閱讀研究與服務學習的生活場子，點點滴滴，修正了自我看待萬事萬物的觀點與態度，擺盪在我是誰？誰是我？的無形網絡裡，探看省思自己。不知不覺中，揮灑了最熱情洋溢、勇猛衝撞的壯年歲月，玩閱讀，賞文學；走過校園，走過社區，走過偏鄉，走入世界，也走入內在思維，走在崎嶇心路上；日積月累的經驗堆疊，行動研究，建構出《動態閱讀》，走出故事人動態閱讀路。

兒童文學，成了我的信仰。

然而，旅程中光覆著光，影藏著影，一遍遍高聲吟唱，動態閱讀的副歌，認真看待不起眼、被忽視的事物，行走在兒童文學圈外的荒原裡，一遍遍俯首叩問，生命的主旋律。

為什麼林布蘭老愛畫著一張又一張的自畫像？

為什麼畢卡索每一個階段的藝術表現，會如此的不一樣？

為什麼哲學大師維根斯坦〈Ludwig Josef Johann Wittgenstein〉、維高斯基〈Lev Semenovich Vygotsky〉、海德格〈Martin Heidegger〉等，會在自我比對、自我批

判中，再構出更高超的論述？

二〇〇四～六年間，經年辦理新住民親子共讀，並且，以動態閱讀兒童文學，進行新住民華語文學習歷程研究。當時，每週兩次，不僅置身於多元文化的生活場，感同身受著異鄉人的疏離感與新鮮感，更是深陷語言的戰場。一場場的教學實踐，不斷挑戰著當下的思維，感受，情緒，直覺和語言的跨界操弄與傳達；三不五時，就要動用肢體、表情、角色扮演、遊戲等動態閱讀策略，跨文化的經營出動人的教學情境，遊走教室，才能與來自異國的姊妹們，有了真實溝通與真誠互動。

沒錯！

我們唯有真誠地，手牽手，心連心，才能有貼切真實的溝通，才能創造出意想不到的語文生命力。一場場的教學實踐，就在多了一點點什麼，少了一點點什麼中，理解了語言的虛實，激射出文學力，搓揉出生命交流的互動光輝，看見了更寬廣豐富的她與我。

多元文化教室，成了生命成長的超級殿堂。

在兒童文學研究所時，鑽研 **E.B.** 懷特童話。探究《夏綠蒂的網》（*Charlotte's Web*）時，撞見了自我重複湧現的深層恐懼，以心印證了小豬韋伯（Wilbur）的死亡陰影；同時，就在論述《E.B. 懷特奇幻文學網》的過程中，消解了自我叩問的生命主旋律，證悟了懷特生命行為的三部曲，洞悉了童年時，自己對小黑狗和白鷺鷥所提的最初質問，原來就是自我靈魂深處的渴望啊！

研究論述的完成，不僅強烈意識到懷特奇幻文學中，那些抽象形上的思維，傳達著關於「存在」的知識，也衷心肯認了「無名」卻「恆存」的天道與奧秘的存在，不知不覺中，內在就有了柔軟的堅持，樂於走出屬於自己的思維路，與社會互動，活出真正的自己。

幸運地，兒童文學，指引我回家之路；而動態閱讀，是實踐自我生命之道。

感謝文學，感謝 E.B. 懷特，感謝師長，感謝動態閱讀。

謎團的終結

走到這兒，已半百啦！

然而，我又不得不承認，文學研究論述的完成，只是世俗學位的獲得，只是思想的強大作用力，意識飽暖的生命狀態罷了！

因為，內在的深層恐懼，仍隱—隱—作—祟。甚至，因為撞見了死亡陰影；

它，因而進級幻化。在生活中，一再地出出沒沒，挑戰著我的能耐，是否真正與它相安無事，淡然共存。

因為，要不是完成了研究論述後，即刻地，投注在明確目標中，全然地，在短短兩個多月裡，深潛多元文化研究，田野調查，蒐集資料，埋頭創作十本繪本，完成了不可能的任務；我，是不可能活出嶄新的超越性生命狀態。

二〇〇八年的繪本創作，對我來說，是一趟極不可思議的創作旅程；從無到有，在極短的時間裡，沒日沒夜，使命必達的自我要求心緒，把自己的思維意識，激撞到天旋地轉的巔峰，不知不覺地，也把自己逼向世界的邊緣，遭遇了生命的終極試煉，靈魂的遊戲。

這話，說來確實有點難。

然而，事實就是這樣。

那一天，交出第十本文字創作稿《回外婆家》，歸還第一手田調資料，卸下緊繃心緒，無比輕鬆自在。可萬萬沒想到，卻經驗到由自己的深層恐懼，所發動創造出來，令我極度恐懼的物質能量，著著實實地，把自己逼入思維意識體的臨界點，經驗了天崩地裂的末日，告別了現實俱存的親友，孑然一身。

在那個奇點，多重意識作用下，我，跳脫時空，從更高的視野，無比清晰地，端看著世界末日的戲碼、無聲無動的肉體；終於，在此終極試煉中，放下了至深的死亡恐懼，體悟了本來就是的生命狀態，明白了物質世界是虛幻，是暫存；意識本體，才是永恆的真實存有。

於是，我死去活來般，踏入重生的旅程。

從此以後，我慢了下來，不再夸父追日般，汲汲營營；不再薛佛西斯般，來來回回，推著宿命巨石，享受平實生活。通透理解了「動態閱讀」的核心概念，獲得三字心法，以更全觀的視野，思考生活現實，看待世界，叩問人生，探究生命。

然後，讓平日閱讀、創作歷程和生活點滴，回饋到當下的自我生命裏；回饋到陪伴老母的臨終歷程裡；回饋到我剛入家門，向婆婆請安時，她情緒異常激動，近乎歇斯底里，緊握著我的手腕說：「我就要走了。」時，還能冷靜地回答：「妳準備好了嗎？」……在那極端意外，料想不到的當下，還能跳脫親情的羈絆，不害怕死亡，不逃避恐懼的囂張，而有了終極關懷的真實對話，讓老爸老媽，在老淚縱橫中，有了深情的擁抱和真實的訣別，讓母子有了一甲子以來，不曾有過的真正擁抱，愛的傳達。然後，一年多以後，婆婆以九十二高齡，壽終正寢，安然離世。

文學的生命雕塑

十多年來持續投入多元文化研究，吟唱生命如流水的閱讀主旋律，書寫人生是一場夢的創作本質。同時，在這段旅程中，發現了一股綿綿延延，無名卻恆存的召喚。

這股召喚，不論以國際文教參訪的名義，遠到印度、芬蘭、荷蘭、美國、史瓦帝尼等國進行交流，或者，單純的，到越南、泰國、馬來西亞、日本或非洲旅遊時，都曾經以著某種莫名的水土不服、文化衝擊，持續折騰著旅行中的肉身，打磨著跨越時空中的靈魂，或以著敏感體質，平凡中的神奇事，提醒著我，還有一件重要的事，有待完成。

這件事，打從二〇一〇年初，創作《青甲客奇幻之旅》時，清晰地，有了沒能說清楚、講明白的牽掛，有了一種已經啟程，卻是回家路漫漫的直覺。然而，接下來，會是一個什麼樣的創作旅程呢？

故事點子，像一顆顆小發光體，隨意蹦跳，卻撐不起故事大格局。

二〇一一年參訪美國時，在好萊塢造夢世界，《侏儸紀公園》製片場，大暴龍的肚腹時空中，旅人乘坐時空梭的最初概念，飆逝而過，才有了故事主軸的架構發展，進而創作了噗突抱竹鎮的空靈想像世界，並且，在多元文化比較中，編織了科技新知與人文傳統的對話，在穿梭現實生活與虛擬世界中，不斷逼視生活社會現象，詰問生命真實，辯證宇宙真相，去呈現真實社會中，更具存在實質的「實有」，傳達生命的真實。

投入長篇小說的創作，從來就不是一件容易的事。

然而，毫不間斷地，穿梭在閱讀工作坊、多元文化教育講座、社團服務，兼顧四代間多重家庭角色的扮演下，仍堅持不懈地，衷於初心，捍衛自我願力，埋頭書寫；忘了對不對、該不該、好不好、市場機制等物質世界的橫橫豎豎，框框架架，單純地，伏案書寫，好讓自己的身心靈，屹立不搖地，堅持在實踐自我思想的道路上，對我來說，是一件非常喜樂的事。

終於，在二〇一三年七月十八日，清晨夢醒未醒中，一個字一個字，從量子訊息場，迅速蹦跳入我的思維意識體，恩賜於我。

無就是我，我就是無；

一無是處，一無非處；

無一是處，無一非處，
是無一處，處是一無，
處就是我，我就是無。

於是，故事就從當代青少年的生活場，著重於經驗性的知識與智慧，探向人類的無限潛能，完整了浩瀚的《無歧地》創意，建構出時空戰士，闖蕩異時空的高度幻想性故事，書寫出原先料想不到的趣味情節，還解構了二十多年來，自己全心投注的閱讀與語言，行走文學荒原。

感謝故事，感謝多元文化，感謝家人，感謝同行夥伴和自己。

荒原的生命禮物

一切，從虛空開始，無聲無語無形無影……
然後，意識波動，滴滴答答……
滴滴答答，連續不斷……
有了編織故事的意念。
八年來，編織一個故事，只為了解構故事；解構故事，只為了再說，再寫，再結構一個故事，直到故事以嶄新的超越性身影，活了起來，說出了一眨眼的生活哲學，叩問真實。

終於，在剎那剎那的轉瞬間，關於你，我，親情，友誼，夢想，記憶，愛，死亡，語言，文化，時間，神話，宇宙虛無……一一來到生活中，雕塑著剎那間的生命故事，成了《無歧地》、《忽巄島》、《異星棧》三部曲；終於，來自荒原的《無歧行》誕生於世，成為一份珍貴的生命禮物，呈獻給無限潛能的你，也呈獻給衷於初心的自己。

一路走來，感謝創作坊的年輕心靈，有了「看見小王子」的肯定；熱血的衝撞，賜福我勇氣，啟動編輯出版的冒險旅程。感謝黃海老師、杜明城教授和李明珊老師的行文推薦，彰顯小說內容的鏗鏘質地。感謝享譽國際、臺灣書畫女靈郭香玲大師，揮毫書名，贈墨寶，讓封面文采清輝映。感謝動態閱讀編輯群、惠雅、宗翰、夢想基金會和家人的有力支持，讓《無歧行》匯集了諸多精純美好的動能。還有，人藝的專業設計團隊，讓三部曲添增了非凡樣貌，溫潤了禮物質地。

感謝一切，感謝未來。

林秀兒 敬致二〇一七・十二・二十一

目錄

Contents

01 綠林坵上的時空梭

放下放下，
放下放下，
放了吹了輕了，
飛了，嘻哈！

空曠的時空堡，看來灰撲撲，難見生機；沒有崗哨，沒有檢測，沒有水泉，沒有紅花綠葉，沒有蟲鳴鳥叫，但見飛沙走石，荒煙四漫，人跡罕至，看起來像似一種遠離塵世的闃寂時空，荒涼境域。

但是，時空旅人身處闃寂的荒涼境地，帶著這裡就是這樣的心境，倒也沒有驚駭到靈魂那種幽深感或孤寂感。反而，有了回到親切又疏離的舊家園，全然接納的自在感，有了由繁華世界，走入童真淨土，走入化外之地的回歸情懷。於是，旅人不慌不忙的溜溜眼珠，東看看，西瞧瞧，看向表面看來實在沒有什麼值得多看一眼的時空堡地。

一切簡單樸實。

阿光舉目環視後，帶著遲鈍的不解思緒，些微失落的聲音，不著痕跡的催促

著：「除了遠方的綠林坵以外，看來沒什麼啦！」

「嗯。」

稚盈用手掌擋在眼前遮光，專注地瞧了瞧，說：「綠林坵的外圍，似乎有亮閃閃的光圈耶！」

「看起來像亮閃閃的綠寶石。」

「走囉！」

時空戰士直覺地知曉，時空梭就在時空堡裡的綠林坵上。他們相信，唯有搭上時空梭，才算是走上終極的冒險旅程。

於是，他們帶著高昂的英雄鬥志，開開心心地，向著一片灰撲撲中的綠寶石，前進；思想力極為專注地，向著灰茫意識海中的希望燈塔，挺進。

他們死死地，盯著飛沙走石間的綠寶石，迎著緩坡，勇往直前，堅守著希望燈塔的閃爍芒光，志在必得的，朝向顯而易見的夢想之地，前進。

前進。

然後，不知不覺中，眼前的綠林坵，似乎移動了起來；旅人的意念，也急切切地，波動出高高的浪頭，目不轉睛地，盯著唯一的綠寶石，向上奔馳，前行。

急切切的情緒意識，點燃了旅人的動能，燃燒起高昂的行動力，朝著綠林坵，向上奔馳而去。

向著翡翠般亮眼的綠林坵，奔馳前行。

他們全心全意，別無他處，直想攻上綠林坵，別無他求，直想搭上時空梭，立即進行真正的冒險旅程，登上成功的彼岸。

然而，眼看明明接近綠林坵了，誰知又繞了開去，來來回回，盤桓了好久好久，也不知道，這路將要通往何處？

就在這時，時空堡感應到戰士們，殷殷切切的情緒意識了；它也就強烈地波動起堡體意識來了。

漸漸地，旅人感到每個奔馳跨越的步子，似乎變了樣。甚至，來自時空堡，土地，斷垣殘壁，飛沙走石，稀疏的耐旱植株，陰影裡的乾黃苔蘚，許許多多旅人看得到和看不到的有的沒的諸多意識體，一起波動起大能量，聯動出強大的意識動能，向著四面八方，擴展出去，無垠無涯地，向著四面八方，奔馳而去。

旅人發現原本沿著緩坡向上擺動的雙手，跨步的雙腳，向前微傾移動的身軀，這下子，像似轉成大角度，上下移動著，像似攀爬在高聳的天梯上，一階又一階，

一階又一階，無論怎麼認真攀爬，上頭仍有無限延伸出去的天梯，無論怎麼認真攀爬，上頭仍有爬不完的天梯，延伸出去。

延伸。

沒完沒了，無限延伸。

旅人牢牢地，緊盯綠林坵；死死地，鎖定綠林坵；急切切地，把綠林坵當作唯一的奔赴目標，對於當下所發生的事，一概不理，一味無感，一片茫然。

旅人強烈的情緒意識，讓他們拚了命地，向著彈丸之地，來回奔波。

可是，旅人終究到不了綠林坵。

「好累喔！」

「明明就在眼底，怎麼就是到不了！」

「怎麼會這樣呢？」以行無助又無力地，困惑著。

「我們錯了嗎？」稚盈不勝負荷的緩下腳步，洩氣地問著自己。

然後，她搖了搖頭，又說：「不行。」

「這可就不行啊！」

「怎麼呢？」

「我們錯啦！」

「錯了？」

「錯在哪兒？」

「我們不該，直直地，奔向綠林坵。」

「哦？」以行想起過往，憶起時空轉運站裡，那些個自己嚇自己的魅影，那些個不得其門而入的經驗，就默默地思考起旅程中，曾經有過的焦慮、迷茫、挫折、徒勞無功和其他一切。

稚盈停下腳步，用力的做了好幾個深呼吸，然後，緩緩吐氣，吸氣，放慢腳步，慢慢行走。她讓自己的心、身體和時空堡地，自然在一起。於是，她的大腦波頻，轉換到一種鬆弛的狀態，靜下心來了。

以行看了看她，點了點頭，也緩下步子，慢慢行走。

然後，他似乎有所發現了。

他似乎發現，在時空旅程中，不論是歡喜或悲傷，可愛或可恨，虛弱或張揚，瑣碎或巨大，強悍或躲避，攻擊或護持，溫柔或暴力，取悅或指謫，卑視或尊崇，苛求或寬容，矯飾或敵視，還有許許多多無止無盡無限上綱的東西，無非就是自

我迷戀起自己，無非就是自我執著於小腦袋裡的意念波動和吵嘈聲音，無非就是自我意識的作用力，無非就是自我的幻影罷了！

「沒錯！」開心地，他聽到了內在的聲音，窺視到一線天光。

「嘿，等一等。」在乍現的天光下，他似乎也覷了一眼，不清不楚的黑影子，暗叫了一聲：「幻影。」

於是，他更清晰地看見自己。然後，他緩緩地說：「如果，我們死盯著綠林坵，肯定視野狹隘，肯定目光如豆，看不到真實。」

「真是這樣嗎？」阿光帶著些微的疑問，思索著。

然後，以行又撩起綠草地上的記憶來了。

他了了分明的記上，那些個棒擊，那些個烏青，那些莫名其妙的苦楚，然後，腦神經就有了出奇不意的連結，自我揭示出某種深層理解的微光，以一種了然於心，篤定的口吻，引領著同行旅伴。

「記得綠草地嗎？」

「嗯，綠草地，藏有大窪洞。」稚盈旋即落入過往的記憶，冷冷地說著。

可阿光一聽，暗叫一聲，「啊，大窪洞。」出乎意料地，他的情緒意識，激

烈地波動起來。腦海裡，忽而，閃現有許多搥痕，會整人的老樹瘤，一陣恨意陡然升起；忽而，憶起昂首吐信的巨蛇身影，不禁全身打起寒顫；忽而，全身鼓動一股混亂熱流，像似冒著濃濃煙霧，即將噴發的活火山，滿臉慍色，然後，悶著聲音說：「那兒，是地獄。」

然而，以行一聽，清晰地記起，一把堅實木槌，能耍成一片流動的花棒影。他的思路，就依著經驗，乘著心靈微光和話語交流的波動力量，輕盈的穿越了自我思維的迷障，躍昇在相對清明的心理時空，說：「不，不是地獄。」

「不是地獄，是什麼？」阿光立即反駁，莫名其妙的，攜帶著憤憤不平的意識波，像似誰得罪過他，欲想追究起來的樣子。

以行抬起頭來，正眼看了他一下，轉了轉眼珠子，然後，輕鬆卻無比肯定地說：「是不可思議，了不起的地域。」

剎時，阿光混亂的心，輕微的驚動一下，流瀉出些許質疑的重量，滋生出嘗試翻轉的勇氣和力道，反問著：「你不是瞎說？」

「不，不是瞎說。綠草地，不僅是綠草地，給人踩、給人踏而已。綠草地，本來就是無垠大地，可以承載人啊、樹啊、巨石、大山大湖、摩天大樓、大巨蛋、

超級航廈等，不管多重，就是默默承擔負荷。」

「這還要你說啊！」阿光小聲地自言自語著。

「綠草地從來不會抱怨，不會碎碎唸。」稚盈淡淡地說。

「嗯，它從不多說話，還生養了熊、象、孔雀、飛蛾、鯨豚、螢火蟲、苦楝樹、花花草草等無數無量的動物、植物和礦物，培育了無限生機，讓鳥啊，水啊，風啊，山谷啊，唱著各式各樣，動人悅聽的天籟。」

「真的耶！」稚盈忍不住讚賞著。

「它還含藏著一切奇妙點子。」

「哦，什麼奇妙的點子？」

「綠草地啊，能讓人體悟到萬事萬物，相依相生，讓人感受到悅納萬物，自然母親的暗質與大能，成就出人的潛能和本質心地。」以行說呀說，竟然，就道出他原本想不到，說不出的妙法來了。

「真厲害！」稚盈的眼瞳，閃現出讚嘆的神采。然後，腦海裡閃現以行在綠草地耍花棒的鮮明記憶，就順利地，穿越了自我的思維迷障，了然地說：「人啊，在綠草地上玩耍，一旦急了，就會失了當下，迷了心，玩不起時空遊戲。」

時空戰士們，就這樣的相攜相伴，乘著思考力的運作，互相激盪探究，就有了不一樣的看見，轉化了思維，轉化了心態；就自自然然地，放下了急切的追尋意識，放慢了奔逐的身體，放平了腳底板，穩穩妥妥地，在時空堡地，慢慢行走。

漸漸地……

旅人忘掉了時空旅程，忘掉了老是沾黏，老是牽掛，老是訴說，老是吟唱的那些忘不掉的東西；漸漸地，忘掉了孤獨，忘掉了自己經受不了的事物，落入一種意識能力的遺忘狀態，在時空堡地，漫遊。

漸漸地，漸漸地……

旅人放下了自我潛意識，空著心，單純的走著，走出一種機械化的行走；走成一種直覺的身體驅動；成了一種不費心思的自在走動，成了一種不用起心動念，本能般的攀爬；無所謂地，朝向夢想之地，讓每一個剎那就像永恆般，在靈魂深處烙下痕跡，滋養靈魂，活化了生命的本然，開啟了與自我生命源頭的接觸，走一趟真正的冒險旅程。

旅人單單純純的，漫步。

漫步。

然而，就在單純的漫步中，無意識黑影，滲入以行的意識中，或者，黑影意識，通過了無意識，彰顯而出，讓他感到一種從來未曾有過的無望感。

那感覺，像似一根白蘿蔔，被迫告別多汁肥美，豐盈的存在狀態，陷落在被風乾死鹹的鹽漬狀態裡。

隱隱約約，他感受到身軀，像似經歷著一次次的鹽漬、翻曬後的飢渴狀態，存有著某種難以言宣的，自我縮小感；然後，升起被遺棄在絕然陌生異地，被放逐在與世隔絕的時空堡地，留待旅人自生自滅的悲悽無望感。

可又不是全然如此。

他分明了然的知道，這不全然是一種悲悽無望的告別。

他發現，這到底比較像是，一種渾然的告別感；分明底襯著，像似白蘿蔔在鹽漬翻曬後，絕對需要，被擠壓在闃黑不透光不通風的陳年陶甕裡，無聲無息地，在時間中，進行著某種像似進一步脫水作用，好滌濾多餘的物質性水分子般的存在，好讓來自大地母親，孕育而出的白蘿蔔，藉由一種告別舊有世界的歷程，才能再度回歸到母體的懷抱；逼顯出，久被繁華世俗塗抹掩蓋掉的，凝著厚實的泥土本色；揭露出，久被漠視的沉潛本質；而質變出，老蘿蔔乾才有的蘿蔔香，有

待進一步，質化出某種本來的真實存在。

告別舊有世界，暫留在隔絕的時空，深潛內在，質化躍升。

於是，以行帶著無意識中的暗黑魅影，如貓般地，在飛沙走石中，在斷垣殘壁邊的陰影下，在枯黃苔癬上，在荒涼闃寂的時空裡，晃悠著詩的步子。

旅人和自己的暗黑魅影，手牽手，在荒原裡，晃悠著詩的步子。

他們，彼此覷著彼此，彼此盯著彼此，彼此看著彼此；感到一種，未曾有過的相安無事，甚至是，未曾有過的親切感。

彼此無意識的自在交流著。

而且，就在無意識的自在交流中，以行竟有了意識的發現，有了驚人的看見。他看見暗黑魅影，似乎就是自己；而那樣的自己，還藏著稚盈的影子，也藏著阿光的影子。

旅人們的暗黑魅影，彼此拼湊，彼此穿透，是零零碎碎紛紛擾擾層疊烘襯繁殖異生般的無盡繁複集體存在。

然後，隱隱約約中，他覺察到一股來自異時空看不見的更高層意識的神秘能量，源源不絕地，滲入肉體，以著精純的陽剛原火，熨撫過每一寸肌膚，每一處

五臟六腑，穿透細胞囊，穿梭暗黑魅影，進行著一種生命改造的工程，讓他通體溫熱了起來，生出一種更成熟通透的覺察意識來了。

突然，旅人就抵達綠林坵了。

*****

綠林坵的周圍，環繞著湍急的溪流。

溪流穿梭青苔巨石，造成多重水流落差，懸掛出幾個小瀑布，形成濃濃水霧，還幾度迴流出難以測深的漩渦，嘩啦聲響喧天，當下，直讓人忘了無垠空曠，忘了無邊闃寂的時空堡。

而且，濃濃水霧中，但見一條看來無比完整的木板橋，覆蓋著無盡歲月的沙塵堆疊，而成了厚實濕稠的暗黑橋身，荒蕪的看不見任何一枚人類的足跡手印，接連著彎彎曲曲若有似無的石子路，迤邐延伸到望不清的山坵頭。

以行站在湍急的溪邊，不明就裡的遲疑著腳步。

阿光回頭看了他一眼，直嚷著：「走啊！」然後，迴身，跨步，前行，欲要走上木板橋。

可是，當他的鞋緣，輕輕一碰橋緣，剎那間，不可思議的，啪嗒一聲乍響，撼動了整個時空堡。

「小心！」稚盈驚叫。

「危險！」以行緊急出手，扯住阿光臂膀。

說來遲那時快，木板橋，瞬間完全崩解。

頃刻間，整座木板橋，崩解成漫天濕塵、飛沫和木屑兒，然後，飛灰淹滅在濃濃水霧中，無聲無息的落入溪底，不見蹤影。

這時，以行才放開萬幸拉回身邊的阿光，重重地，呼出一口過度驚慌的氣息。而受到過度驚嚇的稚盈，連連倒退數步，才穩住措手不及所引爆的情緒波潮，不可思議的說著：「一條木板橋，瞬間，沒了。」

「只差那麼一點點，我的小命，也沒了。」阿光更是驚魂落魄，慶幸撿回一條命。

稚盈彎下身，撿了一顆石頭，投進溪裡，濺出些許水花；石頭無聲無響的沒入喧嘩的溪裏，沒了身影。

「現在，該怎麼辦？」

「涉水而過？」

「不，太危險了！」

「可是，茫茫水霧，看來沒路，也沒橋。」

旅人在時空堡的綠林坵邊，再一次被迫停下腳步來。就在這時，以行看見一列長長的行軍隊伍，在茫茫水霧中沿著溪邊，悄悄移動著。他好奇的瞧著，想著，然後開心地說：「上路囉！」

「上哪兒去？」

「跟著前哨兵走啊！」

「前哨兵？」稚盈困惑著。

「哪來前哨兵？」

「切葉蟻呀！」

「切葉蟻？哼，你要不是悟空，我就是豬頭。」這下子，阿光又吊兒啷噹的鬥起嘴來。

「少誇張了，豬頭。」以行毫不客氣的，直往阿光的大頭，拍了下去，接著說：

「走吧！」

以行就有這種天分，隨機隨緣，快速看見，然後，直直的向前跑去。

阿光驚魂方定，多了疑神疑鬼的心神，急忙地，扯住他的臂膀，大聲叫著：「等一等！為什麼要跟著那些不起眼的小東西走？」

「不起眼的小東西？」稚盈歪著頭，溜著大眼睛，看著切葉蟻，想了又想，開心的說了聲：「懂啦！」然後，自顧自跨出步子，向前走去。

「行、行、行，妳懂，妳行。」阿光氣急敗壞地，擺出賴皮樣，杵在原地，一動也不動，還用粗短的手指頭，搔著一頭剛硬直立的短髮，蠢樣十足，卻挺難得的說：「可是，我真的不懂咧！」

稚盈一聽，轉過身來，看了阿光一眼，直覺好笑又好玩，就賣起關子來了。

「你呀，只是，少見；所以，多怪啦！」

「我少見了什麼呢？」阿光邊嘮叨，邊盯著長長的蟻軍，瞧了又瞧，突然，恍然大悟般的叫著：「綠葉。」

「對！綠林坵，才有綠葉。」

「蟻軍肯定有橋可渡，有路可走。」

「既然有跡可循，那就走吧！」

於是，時空旅人追蹤蟻軍的行進路線，繞行大半個綠林坵，才見到一株粗壯濕木，爬滿濃密綠苔，掛著一張張耳朵樣的蕈菇，跨溪橫長著。此處，溪水轟隆聲響，直灌耳膜，聽不到鳥鳴猴吼，看不清迷濛水幕後的虛虛實實，看不到任何人類足跡。

「好個天險之地啊！」

「從這兒渡溪？」

「看來挺嚇人。」

「阿光，你還好嗎？」

「還好，不過這蟻路還真滑溜呀！」

「切葉蟻就這樣爬行而過啊！」

以行蹲了下來，用手指頭撮撮探探了樹幹好幾下，確定樹幹夠穩實，能抓穩住腳步，才說：「看來我們必須匍匐前進。」

於是，戰士們蹲低身子，手腳並用，小心翼翼地，攀爬跨樹，渡過湍急的溪流，踏上長滿各式各樣低矮雜樹叢和三棵參天古木的綠林坵。

*****

旅人踏上綠林坵，到處瞧瞧看看，探個究竟。

那枝葉茂盛的參天古木上，有藤蔓打造的粗壯紮實階梯，還有一間奇異大樹屋。大樹屋座跨在三株參天古木的大枝幹間，不僅護衛著時空梭，還形成一個綠色天篷，隱匿了高出古堡特多的時空梭，卻也不時反射著刺眼的光。

「咦，那是什麼？」

「能源板啦！」

旅人興奮的爬上參天古木，進入奇異大樹屋，終於，看到時空梭了。沒想到，以行的心神，瞬間被文字攫住，驚聲大叫：「神話號！」

阿光聞聲，旋即轉頭，帶著責怪的眼神，說：「幹嘛，大驚小怪！」

無奈地，以行自我提醒：「所有的準備，為的就是這一刻。」然後，邁開大步，緊跟著阿光和稚盈，登上時空梭。

可是，他一置身梭內，倒有了走入綠色叢林的錯覺，不禁揣想起：「這座時空梭，到底是高科技文明產物？還是，自然造化呢？」

剎時，意念波潮，像海嘯來襲，然後，以行就處在某種出神狀態中，看著一

棵棵千年老樹，在綠林坵的土地上，迅速竄生，擠進時空梭裡，張起重重疊疊墨綠樹蓋，立起一道道錯落的樹籬圍牆。

頓時，時空梭，活生生的，成了滯悶不通的密閉迷宮。

迷宮裡，古老的樹幹和張牙舞爪似的枝條，爭先恐後的探向飄忽移動的唯一光源，又勾肩搭背似的護生了連綿的陰濕苔蘚聚落，搭建了古老藤蔓場域，還不忘提供了諸多破巢新窩，生養了蜘蛛、鳥禽、爬蟲等生靈，還有許許多多的原始蕨、化石貝殼、殘屍鬼繭和不見光的地下精靈等，寄宿其間。

他的腳步，沉重了起來。

就這樣，他亂沒來由地，淪陷在密令的召喚下，無比沉重了起來；讓每一個踩踏在時空梭的腳步，就像深陷在黏稠得抓腳纏腿的暗黑沼澤裡，似乎還能聽得到嗶嗶啵啵，冒著大大小小的泡泡聲，聞得到令人嘔吐的硫磺味，心情盪到谷底。

「歡迎，歡迎，終於到了。」梭長在螢幕上現身，「我是神話號梭長，連心耘。

「天啊，時空梭體，竟然是透明的呀！」

以行警醒過來，大力的搖了搖沉重的腦袋，才聽清楚了，稚盈滿是驚奇的話聲，然後，才極度錯愕，慌亂地，環視了透明梭體。

而梭長也在稚盈的話聲中，現身梭內，應了一聲：「沒錯！」然後，專注地看了以行一眼，繼續說：「在時空旅程中，旅人就是主角。而透明啊，正可以突顯旅人的色彩。其實啊，宇宙的神奇之道，就在我的主觀意識裡。」

以行似乎沒聽懂梭長的話。但是，此時此刻，他有一種回到現實的穩妥感，安心了不少，心想：「終於，有伴啦！」

旅人們，東看西瞧，這裡摸一把，那裡觸一下，興奮不已！

「真的是時空梭耶！」阿光難以置信的說著。

「要不然咧？」

「變速器，臺灣製；推進器，德國製；導航系統，美國製；座標儀，中國製……哇塞，『聯合國』打造出來！單憑這一點，就值回票價。」

「這是免費之行，哪來票價！難道，多元就是好？」

「不僅多元，還要能飛。這可是合作力量的完美展現，好嗎！」

「嗯，這旅程，不僅是免費之行，更是無價之行。」

阿光和稚盈，聒噪的鬥著嘴。

*****

可是，以行仍掉在飄忽不定的記憶，所誘發出來，恍恍惚惚，沒得停息的聯想和重疊幻化的影像裡。

黑密令如影隨形，逼迫著他。

蠻橫逼迫。

因此，他一刻也不得閒地，沉默不語；腦海裡，有許多干擾的聲音，正打得火熱。

「真是不搭！」

「難道，時空旅程要去石器時代？」

「這麼炫的時空梭，卻配上個蠢名字！」

「假神話，會有真的時空旅行嗎？」

這時，黑密令化身為一連串的干擾聲音，藏在他的腦海，躲在他的耳裡，狠狠逼迫，讓他無法遁逃。

無可奈何，他只能再一次陷溺，在記憶的無限聯想的漩渦裡；再一次淪落，在自我映象的倒影裡；再一次掉入「神話」騷動中。

可是，為什麼？
為什麼會這樣呢？
說白了，就是在乎啊！
就是在意某個「東西」，才會放不下，拋不開那個「東西」。
就是自以為是，才要搞清楚，問明白，想要摸清底細啊！
旅人啊，一旦放不下過往的話語，仍在意那些很久以前，透過耳朵聽進來的東西，就會不知不覺的，編織串連而成固執意念，就會執著，死守在「神話」漩渦裡，難以自拔。還死鴨子嘴硬，說：「我偏要目不轉睛地，盯著神話，欲罷不能。你還能怎樣？」

老實說來，真的沒人能怎樣。

可是，以行啊，偏偏就不知道，那個東西，像支黑令旗，躲在挺不起眼的角落，躲在繁複遮掩的陰影裡，搖旗吶喊。他偏偏不知道，那個東西，就是令他討厭，令他咬牙切齒，令他忘不了；而它，也就因為他的忘不了，放不下，因此茁壯，因此存在，因此繁衍，變身，轉異，遮掩，複生出諸多幻影，喧喧嚷嚷嘩嘩鬧鬧著要造反，造反，造反。

於是，那個關於神話的意念，就在以行的時空旅程中，衝動的像毒癮，不但不消失，反而更強大，反而生出一堆有的沒的東西，成了重重疊疊的暗影，成了柳影下的搖晃花明，讓看見成了曲曲折折的歷程，成了迴旋的迷宮。

「我也不想要這樣呀！」

「可是，我無法不看它，不想它，無法不投注，我不能不投注啊！」

「我真的沒辦法啊！」

「我沒辦法不折騰自己，我沒辦法不陷溺其中啊！」於是，一切的一切，就是時間不對，就是空間不對，就是你的錯，就是他的錯，唯獨與我無關，不是我的錯。

以行啊，終究還沒接受，這些個紛紛擾擾，無非就是，自己的某個意念，藏在思維記憶體中，一再衝動，一再使弄，一再作怪。

以行啊，終究不願意相信，意念的衝動，會化身為招搖的黑令旗；會蛻變成追根究柢，執善固執的佼佼者；會變身為無敵潑猴，深潛闇冥意識宮，強奪定宮柱，掌控如意棒，成就通天本領。

因為，密令已下。

而那個秘密意念啊，就有本事，一意孤行，去張揚，本身的存在。意念，就有本事，幻化出紛紛擾擾的一切，像通天本領，像是是非非，像志得意滿，像無邊苦痛，像無情災劫等，千千萬萬億萬個化身。

然而，這一切的一切，其實啊，根本就是無關對與錯，無關好與壞，無關愛與恨，無關利害與窩囊，無關公平批判與正義裁斷。這一切的一切，其實啊，根本只是靈魂的伎倆，要磨煉迷茫肉身，去察覺，窩藏在繁複轉異的幻影裡的黑令旗；就只是人的潛意識，淬鍊著身體意識，去覺知，隱匿在千千萬萬億萬個假面底下，那個鬼魅幻影，那個意念本身的存在。

暗黑存在。

這一切的一切，其實啊，就只是人的靈魂，逼迫暗黑魅影，現身；然後，被自我意識，覺察到；被具體肉身，看見；好絕對性地，完成既定的時空任務，既定的人生劇本。

*****

可是，迷茫肉身，總是執著，總是冥頑不靈；旅人，總是自找苦吃。

「為什麼叫做神話號？」以行不由自主地問道。

「哦，這個啊，其實沒什麼，只是一個名字罷了。」梭長隨口應著。

「既然沒什麼，為什麼不叫雷霆星、無宇艇或天冥號等，既炫又潮的名字，幹嘛苦哈哈地，叫了一個像恐龍化石般，蠢斃無趣的名字。」以行口若懸河，傾瀉出難以嚥下的那口衝動之氣。

而且，衝動的意念波潮，不僅苦苦壓迫以行，脅迫旅人，免不了也衝擊了整個時空氛圍。

「吼，你這又幹嘛啊！」稚盈刻意壓低音量，悶聲道出。

「既然沒什麼，就別認真啦！」阿光似乎看見了以行的底細，邊用手肘輕撞好友，邊小聲提醒。

「時空梭會載著旅人穿梭時空，回到古神話國度，所以叫它神話號。這樣子，不是挺好嗎？」梭長輕鬆帶過，善意的提振以行的心情。

以行自知理虧，卻還苟延殘喘，護衛自己，又說：「好是好，只不過……」

然而，料想不到，阿光萬分訝異，慌張搶話，追問：「啊，古神話國度，有座標嗎？」

以行看著阿光的慌張樣，意念因而起了大波動，翻轉，又生起愧疚來了。

「有，當然有。神話國度，確實有星球磁場，有時空座標。而且，時空梭要能精準的鎖定座標，才能航行在正確航道，穿越時空。」

連梭長嚴肅的環視時空旅人，眼眸流露尊崇，緩緩說道：「那可是一件相當複雜的大工程啊！」

「哦？」

「神話是遠古人類，把內在的直覺、思維和想像，說成一個故事，綿綿延延流傳於千萬年時空中。」

「終究是人說的故事啦！」

「可別小看呦！神話，是挺神的人話。」

「挺神的人話？」

「聽起來，根本就像幻術，又像『真理』。」

「這是常情，確實如此。不過，人要是只聽，想聽的話，只看，想看的東西，就看不到真實，摸不著真理；就連科技新知，有時，也只是片面看見，甚至，會誤見哩！」

「聽起來，科學也會是瞎子摸象。」

「沒錯！而神話啊，不僅說著人們想聽、想看的有趣故事，也說著人們無從聽見，難以窺見的真理。而那真理呀，指向了能接納萬事，能承載萬物，能轉化出大地狀態，指向了永恆性的存在，定位著人類和大宇宙的關係。」

「好玄喔！」稚盈出聲輕嚷後，不禁又連結上過往的綠草地經驗，而有了不同程度的自我理解。

「是啊，有點玄妙。所以，宇宙探發局為了精準鎖定神話的時空座標，就動員了太空科學、物理學、文化人類學、腦神經科學、考古學、語言學、心理學、社會心理學和哲學等專家們，進行跨領域探究與鑽研，才能完成時空梭，開發出時空旅程啊！」

「哇啊！」

梭長意味深長的話，讓稚盈感動不已！

「不過，時空梭有導航系統，不論在天涯海角、太空星際或隱誨不明時空，有了導航系統，就會航向正確的未知路。」

「這樣就不會迷航。」終於，以行釋放了莫名的壓力，心神漸漸安定下來。

「然而，大宇宙啊，是由億億萬萬個螺旋星系、棒旋星系和橢圓星系，共同組構而成。而且，每個星系自有大異其趣的時空特質，存有著許許多多的未知密碼。」

「真浩瀚啊！」

「嗯，確實是浩瀚無邊。而且，就連一粒沙、一顆小胡桃和每個人的身軀裡，就是一個個小宇宙，存在著無限的未知異時空。」

「真神奇。」

然後，神奇地，就在梭長和旅人的對談中，極微的小沙粒，似乎變得極大了。旅人還穿梭在梭內光影中的懸浮沙粒時空裡了。

旅人遁入懸浮沙粒時空，看見了無垠的荒野，飛砂漫漫，厚肉的綠色植物大片蔓生，粗壯綠莖挺立著一根根尖刺，張掛著異常艷麗的花朵，招蜂引蝶；蜥蜴趴在似動非動的巨石上，曝曬陽光，在太陽的芒光下晾著身子，依著長、短、極長、微短等不一樣的波長，依著紅、橙、黃、綠、藍、靛、紫等不同波色和光速，緩緩的變異轉色，似乎還聽得到，風奔跑在沙粒時空裡的聲音哩！

「未竟之路，存在著無限可能，存在著宇宙謎團。」連梭長的聲音，聽起來

近在旅人身旁，似乎又是挺遙遠。

無論如何，時空戰士出了懸浮沙粒時空後，不禁生發起，任重道遠的偉大情懷。然後，挺要命地，卯足了勁，全神貫注，在時空旅程的大小事，極度的期待自己，能夠順利完成神聖任務。

*****

可是，這就不行啦！

真的不行啊！

旅人太在乎自己的表現，拚了命似的看待，不知不覺地，又掉落在自我的小天小地裡，陷溺在吹毛求疵的狹隘思維空間裡，擔憂著自己，會不會失了準頭；轉悠在小是小非的格局裡，懼怕著自己，會不會糊了焦點，誤了首航的神聖任務？

於是，旅人無知無覺地，為自己叫喚出不幸，陷溺在叫喚而來的不幸中。

自尋煩惱。

不過，旅人常常就是愛自尋煩惱，就是難纏啦！

「孩子們，在時空旅程中，一定要打開心眼，——」連梭長殷殷交代。

「打開心眼？」

「心眼在哪兒？」

「啊，這也會是個問題！」

旅人的一句問話，本來，也沒什麼大不了。

可是，梭長也是旅人，一不小心，就有了措手不及的困惑感，一不小心，就把自己推落到水中倒影般的鏡像裡，連續飆閃了數個念頭。

「該如何回答呢？」

「首航只准成功，不准失敗。」

「現在，該怎麼辦？」

「哦，可別出現掌控不了的事件呀！」

「嘿，別這樣嘛！」

「你是領航員。」

「真的嗎？」

「首航任務，確定成功嗎？」

莫可奈何地，她在自我虛擬的語言中，沉淪不已。

她自我衝撞，自我質疑，飆閃飛逝了一大串念頭後，好不容易才平靜了漣漪似的意念波動。然後，天光一現，有了某些自我覺察，就搖了搖頭，回了回神。

「太多心啦！」

「真的太多心了。」

可是，一起心動念，意念迅速飆漲，一不小心，又沉淪黑魔域。

「哎，就連天上聖母，也需要千里眼、順風耳的護駕與輔佐，才能順利繞境平安。就連奧丁天神，也需要思維烏鴉和記憶烏鴉的服侍，收集資訊，思考資訊，才能更有智慧，去統領天庭諸神。」

不知不覺地，她在自我合理化中，失去了本來自在的存在狀態，變得自以為是，又偏離智慧啦！

老實說來，智慧對聰明的旅人，似乎是遙不可及的奢侈。

還好，她又從神話中抓到訊息，記起來，「就連神通廣大的天上聖母，也得回到老母那兒，請安問訊，才能有更周全的宇宙思維，護持眾生。就連奧丁天神，也得回到生命源頭，把自己掛在生命樹上，九天九夜，不吃不喝，渾然的告別世界，才能獲得更高層智慧，契入智慧本身，回到原本的家園。」

就這樣，絕挺聰明能幹的連梭長，在自己的時空梭首度領航裡，有了意想不到的思維歷程，有了人生新故事的發展。

可是，這個人生新故事，講的卻是過去知道的東西，卻是生活民俗，卻是古老的傳說。換句話說，過去的神話傳說，因為首度領航的啟動，才有了真正的力量，活出新故事，才有了擲地有聲的真實意義啊！

無論如何，連梭長終於冷靜下來，帶著更高遠的見地，啟動了更有行動力的領航。

「首先，別管心眼了。」

「來，放輕鬆，閉上眼睛。」

然後，她做了一個長長的呼吸，輕緩著語氣，說：「慢慢地，放輕鬆；靜下心來，注意聆聽——」

旅人騷動了起來，還擾亂了時空梭的艙壓，儀表上的指標上上下下飄移不穩。

連梭長讀著數據，不禁有了一陣暗自嘮叨，「哎，別煩！」

「別這麼愛尋煩惱好嗎？」

「真是難纏的要命！」

然後，她又興起自我覺察，自我安撫一番，才有了與旅人感同身受的意念波動，轉口說：「如果聽不到，那就——用心感受吧！」經過了這一番無形波折，她似乎知曉，智慧是難以消費的華奢，就調整對自我的期待質素，對旅人的要求了。

「來，深呼吸，慢慢吐氣，放輕鬆，慢慢地，安靜下來，靜下來，靜下心——」

「靜靜地看著，看著正前方，然後，把視線拉回眼前，專注地看著，看向自我的內在。」連梭長輕柔和緩地說。

漸漸地，旅人放鬆了身體，專注於內在的意念覺察。

覺察意念。

連梭長耐心等著。

等著。

「用心看，凝視著它——」

「把無意間，遺忘的真實，找回來——」

「真實？那是什麼？到底要找什麼？」阿光一急，又自尋煩惱，連番發問起

來。

「『真實』長什麼樣子呢？」以行受到聲音的波及，聯動，也急急叩問。

稚盈睜大眼睛，看了看友伴和周遭，想了又想，才說：「『真實』，是不是就像時空梭、大山、石頭或椅子，這種看得到的東西呢？」

「嗯，我們要找的真實，除了像時空梭、大山、石頭、貓啊、狗啊那種外在世界的物質性『真實』之外，還有內在真實……」

梭長的聲音，安靜的、遙遠的傳達了過來。

可旅人們，還是輕微躁動著。

「內在真實，到哪兒去找呢？」

「就從身體和念頭去找起吧！」

「念頭？」

「對！頭腦裡的意念波動，一切的一切，就從我的意念開始。」

梭長的聲音，聽起來又近了些啦！

「人啊，能吸，能呼，能吃，能撒，能動，能想，能作，能唱，能生，能死等，都只是腦海裡的意念波動，所產生的作用力而已！」

旅人無比虔誠，專注的聆聽著。

可是，他們的意念，也熱切的波動了起來。

「念頭這麼厲害！」

「聽起來，念頭像是身體總司令。」

「嗯，我動了念頭，才會有感覺、有情緒、有思維、有行動。所以，孩子啊，好好地看住我的念頭，就能知曉真實，掌握住內在世界。而真實啊，它將使我自由，賜我自在。」

棧長在持續的話語中，又現身旅人身旁了。

「現在，好好地回想一下：在我的腦海記憶裡，有沒有某個人，總會毫無預期的冒了出來；或者，在平日生活中，有沒有某件事，總是一而再，再而三的出現或發生？」

旅人靜默無語。

這時，「神話」二字，在以行的腦海裡，一閃而過。

「無論如何，面對特定的記憶，或固定的事件時，要真真切切的去感知，自己到底是怎麼樣的去記憶、去感覺、去思想，生命中真正在意的那個片段記憶

……」

*****

稚盈一聽，唰——，全身的細胞，出其不意的敏感了起來。

「片段記憶？」

她懵懵懂懂，然後，聯想到《糖果屋》中的麵包屑；於是，又追問了起來。

「片段記憶，是記憶中的小記號，對嗎？」

「說的真好！這種小記號，會頻頻出現在夢境裡、生活中，有時也會躲在最陰暗的角落，難以預期的出現，還硬的像顆小石子，刺痛人的心。」

「小石子！」稚盈很有感覺的說著話，然後，不自覺的把手掌貼向心口。

「沒錯，硬的像小石子。」

「對某件事很堅持？」

「是，會執著的要命。」

旅人不發一語，沉思著。

「有時，記憶中的小記號，還會讓人自詡為天命，充滿了勇氣和韌性，無比堅持的走上英雄路。無論如何，小記號也會是小種子……」

「藏著無限可能。」

「會帶來驚奇。」

「也會是個祝福。」

「沒錯！」

「不能小看它。」

「不，絕不可小覷啊！」

連梭長的聲音，藏著嚴肅的提醒與暗示。

時空戰士們，不禁興起某種不明的警覺性來了。

「記憶呀，是小記號，也是思維殘骸。」

「殘骸？」

「嗯，它只是支離破碎的記憶殘片。」

剎那間，咻——

一道電流，在稚盈的腦袋裡，飛逝而過；而她，就有了不可思議又難以言說的複雜心境了。

旅人們，面面相覷著。

「記憶呀，會引人誤入迷宮，迫人深陷僵化模式，矇人雙眼，一再做出蠢事；而且，還讓人自以為是，日積月累成難改不察的習性。」

「情境近了，就會春風吹又生。」

「沒錯！」

「所以，它有時也像蛇。」

「蛇？」

「是啊！像蛇一樣，在人的腦袋中，胡亂蛇行，嘶嘶作響，迷惑人心。」

「啊，聽起來，記憶挺會騙人。」

「確實如此。不過，記憶騙不騙人，還要看我啊！」

「我？」

「沒錯，就是『我』！端看我，怎樣看待那個記憶呀！不過，要找尋真正的事實這種任務，從來就不是一件容易的事。」

「誰說容易啦！」

「不過，這種任務，有時也挺容易。」

「真矛盾，能說白話嗎？」

「那就先賣個關子囉！」

「喔！」

「不過，孩子們，一定記住喔！在時空旅行中，面對自己的內心世界，要勇敢的放下；放下習慣，放下偏好，放下身體，放下感受，放下想法，放下所有的一切，就看著它。」

「看著它？」

「對，放下一切，只是看著它。」

這時，時空戰士相視一笑，然後，忍不住的哼出：

噢——嗚——，噢——嗚——。

放下放下，放下放下，放了吹了輕了飛了，嘻哈！

放下手機，放下算計，放下鼠牛虎兔和一切嘔吐。

放下球衣，放下評比，放下龍蛇馬羊和裝模作樣。

放下書本，放下技藝，放下猴雞狗豬和糊里糊塗。

放下放下，放下放下，去了廢了毀了滅了，噢嗚！
哈哈噢嗚，噢——嗚——去了廢了毀了滅了，
噢——嗚——，噢——嗚——。

這時，哼哼唱唱的戰士們，有了不同的心領神會，而自在的點了點頭。

「在旅程中，要自由地，遊走時空，穿越裂縫；靜定地，涉入其中，感知訊息。並且，誠實地，探究那個片段記憶，到底在平日生活中，牽拖蔓延出什麼樣的心靈效應？」

在梭長氣定神閒的話語中，藏有一番開導與期待。

旅人倒也頗能領受她的苦口婆心，心神契合啦！

*****

然後，梭長引領著時空戰士，遊走到未知秘境，深度體驗旅行歷程中的心靈效應。

她平穩、緩慢地說著：「現在，安靜下來，靜下心，靜定——」

「用心去看──」

「凝視著它。」

「靜定地凝視，單單純純的凝視──」

頃刻間，轟隆轟隆的聲音，由遠而近，由弱漸強。

然後，磅礡的轟隆轟隆，充塞旅人的耳膜……

「哇啊，漫天水霧的林子，令人渾身清涼舒暢！」以行讚嘆著。

「我們進了水濂洞嗎？」阿光狀似猴子般好奇，靈動著身體，摸著潮濕的手臂，到處遛遛瞧瞧。

「你看，漫天水霧中有芭蕉樹，結了一大串鮮黃芭蕉。還有，風在吹，樹在搖。」以行又說。

「光耶！喔，超大鏡子折射著眩目之光。」稚盈瞇著眼，看了又看，然後，驚奇的說：「那是鏡花園嗎？」

「難道，這兒是翩翩那個暗夜裡亮晃晃的山洞嗎？」阿光卻說。

以行像狗一般抽動著鼻子，翻掀著鼻翼，嗅嗅聞聞。

「這花香，是桃花才有的好味道！我們誤闖桃花源了。」

「喔，冷死人了。啊，難道這兒是魔衣櫥外的冰原死境？」

阿光緊抱雙臂，打顫著牙齒。……

*****

不知過了多久，梭長召喚著旅人，回到透明時空梭內。

「剛剛是一段小旅程，去感受靜心中的意念波動，去發現永不停歇的時空變動，去看見微細難察的現象，去體驗瞬間的永恆……」

「可是，我們各有不同的看見，不是嗎？」

「沒錯，在時空旅行中，「我」是在我的經驗中，去經驗我自己，走一場生命旅程。而且，所有的發現，就是當下，就是獨一無二的看見。」

「那種看見，不斷的會讓人意外嗎？」

「哦，你說呢？」

「那很難說耶！」

「感覺上，才一說出，馬上又變了；又覺得，好像說錯了什麼。」

「像似置身神秘世界，絕對抓不準下一秒鐘會發生什麼事，難以預測未來。」

「像是在夢中。」

「嗯，生活實境，只是一段追夢人生。而且，在繁忙的生活裡，人來人往，來匆匆，去匆匆，就像一陣風。」

「一陣風？」

「是啊，就是一陣風。所以，我在扮演人生這齣戲時，可別把自己絆住、卡住了。」

白光堂與黑魔域

理直氣壯的，聯手荒謬展演，熱血洋溢的，在你，在我，在他身上，淋灑狗血，揮灑出史詩般的故事情節，不知不覺地，遊蕩在黑魔域裡，尋覓白光堂的存在。

時空戰士運用思想力，搭乘時空梭，一路穿越各種有形、無形、有相、無相、有情、無情的萬事萬物，所共同組構出來的異次元時空，闖蕩浩瀚宇宙；那將是一場無與倫比的心靈冒險旅程。

而且，未竟旅程，近了；時空旅人，理當嗨翻了。

「這時空梭的儀表，簡約明朗，一目了然。」

「看來很容易操控。」

「確實不難。不過，這儀器功能，能揭示旅程中，所有必備資訊。它承載著穿梭時空時，可能遭遇到的時空轉換、太空科技、星際航道、宇宙星辰等極高度知識與解決方案。」

「好複雜又玄妙。」

「確實如此。不過，在你來我往、簡單的機械操作中，還孕育著星雲的融合奧秘，存在著億萬光年的差別，潛藏著黑洞的陷阱與奇異，嵌合著多元時空的暗質、暗能和量子糾纏的能量信息場，具有發生一切物質的潛能。所以，不可掉以輕心，千萬要小心。」

旅人繃緊絲絲縷縷的神經，驚嘆著：「好深奧啊！」

「嗯，白光堂和黑魔域，盡在旅程中。」連棱長語重心長，道出首度領航中的自我發現與覺察。

可旅人不太懂。

他們還沒真正意識得到，在完善的導航系統裡，自我的起心動念，影響著航程趨動力；他們還沒真正覺察到，在未竟的航程裡，全面聯動著自我的意念波動與意識能量，綿密糾葛著自我意識的內在真實。

因此，戰士們，能否為自己掌舵，航向未知行程，是連棱長念茲在茲的肩頭重任。

*****

無論如何，旅人在時空梭裡，聚精會神的吸納學習，體驗著時空梭實務。可沒多久，他們的腦袋瓜就消化不良，處於怠惰狀態，昏昏沉沉了。

他們累趴了。

而旅人一旦過勞、過累，覺察力就會弱化；一不小心，就會落入慣性的因循來回中，自尋麻煩；不知不覺的，就會自以為是的，一再自找苦吃。

「時空旅行，為什麼要航向神話國度？」以行明明吃足了苦頭，才為自己掙來時空旅行，這下子，卻又無明的，抗拒著時空旅行。他順利的，來到了時空堡，搭上時空梭，似乎已跳離了自己的蠢問題，料想不到，真的料想不到，挺容易地，又會掉入自己所挖出來的黑洞中，追根究柢起來。

「哎，又來了！」稚盈暗叫不妙。

她搞不清，弄不明，以行是自作聰明，還是著了魔？

還是，著了魔，才自作聰明！

在此時空裡，她對以行的問題，感到煩悶不已！

她被以行的「神話」旋風掃到，像追咬自己尾巴的狗兒般，團團轉，無聲的意念，劇烈波動著。

「真無聊！」

「你到底要怎樣？」

「幹嘛老跟神話過意不去！」

「你何必如此排斥神話啊！」

她在一陣劇烈波動，自我釋放了煩躁情緒後，才波動轉折出同理的思緒，「還是，你壓根兒就在對抗著某種內在聲音？」

可是，她無從知曉，就在此時，她逃不了，避不開，被以行的音波打到的境遇。

她也掉入自己所挖出來的黑洞，陷入自我的黑魔域裡。

還好，她通過了一連串的暗自質問，發射冷箭後，轉化掉自我的煩悶，化解了情緒，然後，心平氣和地說：「以行，既然來了，就來吧！」

無論如何，時空旅人一不小心，就神不知、鬼不覺的，栽入記憶的魔咒，掉入自我思維的黑魔域，瞬間迷航。

而且，時空戰士的終極戰場，在這兒也在那兒，不在這兒也不在那兒，不是在這兒也不是在那兒，不是不在這兒也不是不在那兒；是無所不在。

終極戰場，無所不在。

還好，迷航絕非只是旅程的插曲。

困境，往往就是邊境。

梭長耐起性子，平和的說：「神話不僅是個故事，也會是個訊息。」

「什麼訊息呢？」

「神話能傳遞宇宙生命的終極意義。」

「終極意義，聽起來多麼遙遠啊！」

「太難把握了。」

「虛無飄渺，根本握不住！」

「不切實際！」

阿光和以行唱起雙簧，越唱越順，越唱越有力，讓稚盈再也聽不下去。

不自覺地，她充滿挑釁意味的說起話來：「還有人，老愛去追夢，不是嗎？」

話音一落，阿光連想都沒想，就自顧自哼起流浪之歌。

「走啊！走啊！走到遠方去流浪，流浪到遠方！

走啊！走啊！走到遠方去流浪……」

然後，才得意揚揚的嗆了話，「那是熱情，你要怎樣？」

而以行呢？

他還是放不下、壓不住內在的躁動，扯不完、理不清「神話」的話題，還百般自以為是，快言快語，加碼質疑：「既然是遙遠的夢，何必大費周章，建造時空梭，拯救神話呢？」然後，如釋重負，頓覺輕鬆，滿身酣暢。

痛快！

可是，剎那間，他又不太確定，剛剛到底表達了什麼？自己真正想說什麼？

他有一種模糊的警覺，自我警醒著。

梭長面對著旅人的內在真實，所引發出來的迷航，深思不已。然後，才說：「神話是遙遠的夢。而夢啊，是用來探看黑夜，讓人看清自我實相的工具。」

「夢是工具？」稚盈訝異的回應著。

「沒錯，只是工具。」梭長不急不徐的說：「遙遠的神話，早已被當代科技文明的偏執信仰，抽空寶貴的真實質素啦！神話號可以把神話中的真實，帶回我們的身邊，帶進我們的身體裡，貼近我們的生活，成為生存中的基礎，生命中的依歸。」

以行一聽，不禁波動著某種不好意思的情緒，然後，自我掙扎，自我質疑著：「真是的，我這到底在幹什麼？」

「難道，這是我的問題？」

他默默無語的騷動著。

自我警醒的覺察著。

片刻靜默中，阿光不由自主的胡亂應著：「哎，被騙上賊船囉！可是，還有一堆人，等著要乘坐時空梭哩！」

可他一嘮叨完，又忙著對旅人扮鬼臉、吐舌頭，搞怪似的自我逃脫著。逃脫著。

無論如何，旅人在時空旅行中，就是這般理直氣壯的，聯手荒謬展演，熱血洋溢的，在你，在我，在他身上，淋灑狗血，揮灑出史詩般的故事情節，不知不覺地，遊蕩在黑魔域裡，尋覓白光堂的存在。

*****

至於連梭長呢？

她精心設計了一套領航策略，引領旅人，邁上時空旅程。

可旅人頻頻出招，打亂了她的領航路數，讓她微感壓力，暗自嘮叨著：「哎，都坐上時空梭了，怎麼還有的沒的，問題一大堆。」

可她馬上又自我調侃。

「別忘了，你是領航員。」

「早知道了，囉嗦！」

無法倖免，領航員照樣自我拉扯，自我迷航。

突然，她記起來了。

記起第一次穿上梭長服，戴上梭長帽，在鏡像中的樣子。那樣子，是光芒四射，是無比榮耀。

於是，她真正的面對起自己，理性的質疑、思辨了起來。

「什麼才是梭長的真正任務？」

「不就是領航嘛！」

「引導旅人，走上對的路。」

「什麼是對的路呢？」

「旅程早就鋪好路，定好調，跟著導航走，就對了。」

「那麼，梭長是褓姆囉？」

「褓姆？」

「胡扯！」

「梭長可不是平白無故，就能掙得的光耀。」

「難道，這也是我的冒險旅程？」

「不是嗎？」

「天啊，我是生命領航員。」

她猛然有所醒覺。

剎那間，心中又多了一把生命之尺，微調著工作的定位。

然而，她會是誰的生命領航員呢？

*****

梭長跌入自我時空，忘了眼前的旅人，靜默不語。

六道好奇的眼神，直直盯著她，等著她。

阿光耐不了多久，就煩得晃了晃身子，不自覺的，發出噪音。

「吼喔──」

頃刻間，梭長意識到旅人的盯視眼光，帶著有點尷尬的心情，露齒一笑，然後，說出從未意識過的話來了。

「千萬年的神話國度，是人類血脈的原鄉。人啊，一旦能從平凡生活中，去把握那遙遠的夢想，讓夢想中的真實，有了實踐的通道，就能為生命接引活水源頭，壯麗的創造。」

「哎，廢話一大堆，沒完沒了。」阿光不耐煩地，暗自嘮嘮叨叨。

「神話的真正實情啊，在人類物質科技化的過度傾斜下，早已被排擠、被輕忽、被漠視、被遺忘了許多囉！它的真正實情，一旦被掩蓋住，那可就是神話的千古浩劫，是人類的沉淪啊！」

連梭長的聲音，攜帶著來自遙遠時空的某種神秘力量，迴盪在時空梭中。她突然渴望起神話力量，能夠迴盪在旅人的心頭；期待旅人，認真的正視起神話的大力量。

因為，她深信唯有旅人肯認了神話的力量，戰士才能完成任務。

可阿光暗罵著：「沒完沒了，囉囉唆唆！」

「你們知道嗎——」梭長苦口婆心，又要說了起來。

「知道什麼？『唆』長。」阿光忍無可忍，像一個烈火燃燒的高壓鍋，暴衝出炙人熱氣。

連梭長停了下來，慢條斯理的看了看他，又繼續說下去，「神話中，敘說著人類的本來真實，能夠展現一種奧秘……」

「神奇魔力？」以行的熱切提問，摻雜著不自覺的企圖，扭轉尷尬氛圍。

連梭長會心一笑，點了點頭。

「當我們潛入神話中，潛得越深，它們的力量，就愈深邃。那強大力量會引領我們，給與我們方向，聯結上生命的根本，找到神奇力量。」

「真要命！空口說大話。」阿光小聲嘀咕著煩悶和抗議。

這話，聽起來，倒也不是完全含糊，倒也不是完全呼嚨不可信。

稚盈不禁瞄了瞄阿光，思量著這一切，真的是信口荒唐語、瞎說起來了嗎？

不過，她馬上記起念頭的威力，就說：「神話藏有極大能量，是嗎？」

「是啊！神話綿延數千年，藏有人類的堅強意念，積累了強大的意識能量，

存有大力量。」

「不過，神話也是幻想。沒錯吧！」以行挺理性的提醒著。

「沒錯！它也是人類的共同想像。不過，現在……」連梭長欲言又止。

「現在怎麼啦？」

「現在，神話的有效期，早就過啦！」

「有夠誇張！」

「不，一點也不誇張。」

「怎麼說呢？」

「人啊，一旦認為它荒誕不羈，就看不到真理，聽不到真實了。而且，那才是誇張，才是悲哀。」連梭長清了清喉嚨，一副要好好的說清楚、講明白，「人類在悠久的歷史時空……」

「這是時空旅行，不是嗎？」阿光硬生生，打斷話，奪取話語權。

「嗯。」

連梭長的權威，再次被挑戰，眼眸閃逝氣憤，看了看戰士，然後，下了決定，轉口說：「在時空旅行中，一切可要靠自己，用心追尋囉！你們願意這樣做嗎？」

梭長無比專注地，凝視著時空戰士；默默地，等著。

「願意。」

「我願意。」

「我願意！」

「那麼，準備好了沒？」梭長極為認真、嚴肅的問著。

「好了。」

「那就——出發吧！」

連梭長爽朗的宣布。

烏里哲索星的探險

一根根濃密粗壯的眉毛，排列成兩道彎彎的森林帶。森林帶裡的一株株毛樹根，粗粗肥肥壯壯，滲出某種久被壓抑，不停催化醞釀而出的躁動不安、叛逆和敵意，矯揉成一股辛辣刺鼻的嗆味兒。

導航定位在烏里哲索星，一切就緒。

旅人無比專注，等候關鍵時刻的到來。

終於，綠色天篷打開了。

奇異大樹屋，乾坤大挪移。

綠色天篷、奇異大樹屋、參天古樹等，快速挪移，一切兀自變動著。

變動！

一切變動，快得不得了！

一切變動，瞬即萬變，快得讓人親眼目睹，卻無法思考，無力回應。

然而，旅人的親眼所見，卻又是毫無意義。因為，他們覺得自己正坐在某種氣壓平衡狀態中，穩穩地，一動也不動的時空梭內。那種感覺，就像地球兀自在

宇宙中，毫不停歇地快速旋轉著。而人們卻誤以為，自己蹦跳，活躍，生活在穩穩地，一動也不動的地球上。

然後，旅人從穩穩不動的時空梭往外看，竟然發現了，難以置信的異相了。參天古樹，或者該叫它們能源樹，早已越過護島溪，退閃到時空堡的厚實城牆邊，停了下來。

可參天古樹，並不是真的停下來；它隨著時空堡越離越遠，遠到視線之外了！

「怎麼可能呢？」

「這參天古樹會走動。還走了那麼遠！」

「奇異大樹屋，挪移到哪兒去了？」

「怎麼連古堡，也快看不見了！」

旅人們困惑著。

*****

然而，在此關鍵時刻，困惑不已的旅人，沒人敢多說，沒人敢多想，沒人敢多問，只能專注在當下，契入當下，成為一心一意的思想推進力。這時，只有連梭長慎重的叮嚀：「時空梭突破各個時光屏障時，會造成猛烈顛簸。所以，請確實繫上安全帶。」

啟動導行系統；檢察推進器……

倒數計秒：十、九、八、七、六、五、四……

咻——

飛了——

*****

時空梭，快速跨越時空中。

那兒有雪白泛綠的光束！

那是舞動的精靈……

喔！你看，那暗紅極光，像鬼魅般，張牙舞爪。

層層疊疊的銀白色山脈，映襯著無垠的黃草原。

綿綿延延的長城，是遠自秦朝的長城耶……

喔，五彩的岩石，高聳天際；綠色植被上，站立著一棵棵桃花樹。

啊！你看高山上的曙光……詭異、撲朔迷離……

*****

毫不停歇的時空啊，持續變動、轉化著。

「流星雨！」

「流星雨來了。」

「啊！一顆顆隕石，以光速向著時空梭，迎面衝撞過來……」

「閃，快閃，穿梭過去！」

「波動的氣流，迅速旋轉了起來。」

「糟了！」

「太空旋流！」

「導航系統失靈了。

在超極速時空壓縮下，旅人不斷穿梭時空。

時空梭陷入駭人的太空旋流中。

「重力流失中……」

「啊！要摔出去了——」
「快，手控推進器！現在——」
「哦，冰柱，到處都是冰柱！」
「注意，注意偵測器！」
「避開——閃，快閃冰柱——」
「偵測器的指針亂跳。」
「啟動防護罩，快，馬上啟動……」
「儀錶針胡亂蹦跳著，時空梭劇烈晃動，哐啷噹——」
「我們要沒命了——」
「我們要解體了——」
「我們要掉出去了嗎？」
「啊，媽呀，我要死了嗎？」

時空戰士在穿梭時空中，像極億億萬萬光年中，不斷進行自我演化的恆星，生命力極速耗竭，狂奔向時間的末期，邁進垂死的邊緣；然後，情勢所趨，他們不得不經歷起一種劇烈爆炸，垂死前的掙扎，又掙扎……

垂死的掙扎。

終究，砰——

突發的大爆炸，熔漿、石礫、灰燼，佈滿宇宙星際間；同時，旅人成了「超新星」，引爆的電磁輻射的亮光，照亮了所有星系，持續了像似好幾週，好幾個月那麼久。

然後，四面八方襲來強力吸力；極強大的吸力，虹吸著萬有一切。

旅人再次感到勢不可擋的衰竭，衰竭……

一切衰竭中；然後，光不見了。

極微細的意念粒子，不再波動，意識消失，一切不可見了。

旅人不復存在；時間凍結，空間不復存在。

超新星沒了；萬有一切，被吞歿了，沒了。

空了！

空成死寂，沒有風、沒有水、沒有時間、沒有聲音、沒有出生、沒有死亡……無法言說，不可描繪，難以形容……

那是一個混沌，無止無盡的混沌……

在無止無盡的混沌中，不知過了多久，極微細的粒子，緩緩地，波動了起來；超新星死後復活般，若有似無的，極微細波動，緩緩地，似無若有的極微細波動著。

極微細的粒子，緩緩波動著……

而這似無若有，極微細波動啊，讓超新星不斷重複吸收大爆炸後的物質，而有了屍變，讓旅人有了死而復活後的真實感；黯淡的超新星，漸漸地，漸漸地，變得明亮，旅人因而回到了烏里哲索星的正確航道，而有了一種趨向本質，絕非平常的看見；極為清晰地，看見。

噢嗚，旅人醒了！

醒在渾然一體的混沌中，悠悠叨絮著：「回家了，終於回家了。」

「啊，回到最初的原始與自然了！」

極微細的意念粒子，波動著……

不斷波動，……重複吸收大爆炸後的物質，波動著，……

剎那間，那醒來的感覺，變了！

變得如此陌生，又如此熟悉；如此親切，又如此疏離；如此熱情，又如此冰

冷……，是同情，又是掠奪；是陰暗，又是繽紛；是狂傲，又是謙卑；是勇敢，又是卑微；是善良，又是狂暴；是美好，又是齷齰；是祥和，又是暴亂……

意念粒子，波動旋轉著……

旋轉著……

*****

極微細的意念粒子，波動，旋轉，交互作用著，就像超新星促成了類似太陽系的形成歷程中。於是，宇宙變了，混沌變了！

旅人醒過來的感覺，變成混亂又清明；清明的旅人，全然清晰地，看著混沌正隨處生發，隨境變動。

旅人在混沌中的感覺，是輕盈的撫慰、是堅實的抗拒、是狂暴的壓迫、是溫柔的憐愛、是鄙視的離棄、是信任的微笑、是悲傷的欣喜、是迷茫的探究、卑屈的追尋、狂熱的冷漠、死硬的柔軟、慈愛的傷害、慟心的別離、難忍的恩情、隱匿的關愛、謙卑的狂妄、狂喜的熱淚、生硬的溫柔……

漸漸地，意念粒子極速撞擊，變位波動，極度暴漲……

漸漸地，漸漸地，變成無比的巨大……

巨大無比。

那是什麼呢？

無量粒子的能量波啊！

而極速撞擊、變位波動、暴漲的意念粒子，就是旅人自己，就是我。

*****

以行清明的覺知，身體變得很大很大，旋轉著。

一根根髮絲，飛舞了起來。

他手撫著一把烏黑的瀏海，那是濃濃密密的黑森林，神祕的植栽著他那青春洋溢和自以為是的瀟灑樣。

喔，一顆顆粒子旋飛了起來……，粒子間的空隙越來越大。

瀏海下的眉毛，也一根根的旋飛了起來。

眉毛越來越粗，越來越長；一根根濃密粗壯的眉毛，排列成兩道彎彎的森林帶。森林帶裡的一株株毛樹根，粗粗肥肥壯壯，滲出某種久被壓抑不停催化醞釀

而出的躁動不安、叛逆和敵意，矯揉成一股辛辣刺鼻的嗆味兒。

那嗆味兒，變成巨大無比的一團黑影子；黑影子不斷翻滾著……

扭曲似的翻騰著……

翻騰出某種恐怖、某種厭煩或者瘋狂、憤怒的東西。

它是個醜陋像魔鬼的臉孔，持續不斷的扭曲翻滾，張著闃黑如地獄般深不可探的喉嚨大口，一路吞噬著。

吞噬所有。

以行陷入無名恐懼中。

那無名恐懼，似乎來自一個熟悉的臉孔。

可那熟悉的臉孔，剎那間幻化成張大口，展利牙的惡獅，對著以行撲衝過來，正要生吞活剝了他。

然而，正當危急關頭，它又異化了，異化成全然的冷漠和陌生感。

無名恐懼，持續氾濫開來。

它罩住以行的頭、肩膀、胸腔、身體、四肢。

它死死的擠壓、脅迫、恐嚇著以行的每一個細胞，每一絲存有的心神。

以行的力量，一點一點的流失⋯⋯

他的精氣神，一絲一絲的紛飛潰散⋯⋯

他無力反擊，只能逃到一個好暗好暗的角落裡；可在那暗黑的小角落裡，寂寞、徬徨、無助卻反咬了他一口，吞噬著他。

以行難過的要命；他難過的要命。

他快不能呼吸；它不能呼吸了。

它就要失去所有知覺了⋯⋯

就要沒了知覺⋯⋯

「我們離線了嗎？」稚盈狂亂的問著。

「我們死了嗎？」阿光焦急萬分的吼叫而出。

「死了？」

突然，它極度驚恐了起來。

它驚嚇而醒；醒成更有人的意識來了；就像被狂風怒吼的暗潮擊昏，溺水狀態下，瞬間驚醒。而且，在驚醒的那瞬間，僥倖的抓著一截差點就錯身而過的浮木。

可他根本來不及有半絲慶幸的心裡，就卯足全身的力氣，聲嘶氣竭的嘶吼著：

「死去那裡啦！」

「嚇死我了！」

這一吼叫，一切的一切，瞬間幻滅，以行才有了一種回到現實的清醒感。

*****

時空梭，穩穩的飛行著。

以行驚魂未定，全身無力，卻又暴漲著一股惱羞的怒氣，嘶吼著：「你們到底死去哪兒了？」

「哪兒都沒去啊！」

「好奇怪喔！」

「鬼扯！」

「說謊。」

然後，以行像頭瘋獅，猛力推撞了稚盈一把，乘機一躍而上，就欲扭絞阿光的頭頸，發洩難以抑制的狂飆怒氣。

面對突如其來的攻擊，阿光只能莫名其妙的極力閃躲，奮力抵擋，狂吼著：「瘋啦！你這是幹嘛！」

阿光氣喘吁吁的在扭打翻滾中，但求僥倖掙得喘一口氣的機會，擺脫有如瘋狂野獸般的以行。

然後，他帶上不明的驚嚇，緊盯以行。

然後，他又流露出訝異的同情，看著以行。

一句話也說不出來。

而稚盈，在整個慌亂的顫慄時空中，深陷恐懼不明，不知所措，來不及回應下，腦袋一片空白地，踉踉蹌蹌，往後跌了數步，才好不容易穩住身體，睜著圓滾滾的黑眼珠，射出兩道荒謬的冷光，呆滯無語。

以行仍燃燒著怒火，然而，在咄咄逼人的氣勢中，冷不防地，洩露出無力僵持的疲軟樣。

「你們怎麼可以這樣！」

「哪樣？」阿光呆呆地問著。

「我什麼都沒做啊！」稚盈滿腹委屈，反駁著。

「你們竟然把我一個人，丟在那裡。」

「哪裡？」稚盈反問著。

以行一聽，環視四下，然後，氾濫不已的滿腔怒氣，就在自知理虧的無力感下，收斂了起來。

然後，他聽到了耳邊嗡嗡嗚響的聲音。

嗡嗡嗚響著。

以行轉著頭，尋找這聲音的來處。

它像似來自耳後，又像似來自耳內，更像似大腦內的暗黑能量到處竄移，意念的劇烈波動，翻騰，而嗡嗡嗚響了起來。

然後，整個身體打起哆嗦，喃喃自語著：「闃黑，一片闃黑！」

「一片闃黑——」

旅人不約而同的呢喃著。

呢喃的話音聲波，推動著時空戰士，運用更高層次的意識，去回憶身處混沌中，劇烈的意念波動了。

*****

旅人們，處在非常神秘又私密的內在思維時空中，看著自己。

戰士們，跳離了原來的自己，揣摩著自己，探究著自己。

好一陣子後，稚盈看了看以行，不太確定的，打破了沉默氛圍。

「在完全的闃黑之後，似乎有一種溫暖和安全的感覺，你說是不是？」

「或許是吧！不過，才一下下啦！」

「別扯啦！」阿光處在微妙的自我掙扎中，回應著。

可稚盈的話，有力的提醒了以行。

那混沌，不僅是闃黑而已！

那混沌，還是不斷波動變化的大能量。

無以倫比的巨能量。

漸漸地，以行很有意識地，遊說自己，去穿越記憶裂縫，放下自己。

放下！

「那一下下，就像在媽媽的子宮裡，有種愛的感覺，對嗎？」稚盈很努力的

找尋貼切的字詞，緩緩道出那一份難以言說的發現。

「荒謬呀！」阿光有氣無力、出神似的說著，像似在責備自己。

然後，他又無力的叨叨唸唸著：「還真有點像那個樣子啦！」

這時，以行僵著身軀、睜著大眼，用兩片毫無血色的嘴唇，機械似地，一張一闔，慢慢地，吐出了金石般的字句。

「我整個人，變得很小很小。小得腳不見了，身軀不見了，手不見了，最後，最後，連頭也不見了，沒了頭，沒了眼睛，沒了呼吸，只剩一點點意念，一點點意念的波動，波動。」

他說著金石般的字句，卻又很難全然的相信自己說的話。

於是，他越說越小聲。

直覺地，他似乎把鏗鏘字句，當成一串自我干擾的噪音。

然而，他又意猶未盡，持續的說出難以捉摸的話。

「有那麼一陣子，我好像很大很大，巨大的無邊無際，說是無邊無際，卻又像封存在緩緩流竄，相互擠壓，無法抽離的無邊無際的能量波中……」

「你孤孤單單一個人？」

稚盈的話音一落，以行又被自己的恐懼，攫住了。

他脆弱的飆竄著渾身怒氣。

「那還用說嘛！你們竟然把我一個人丟下來，丟在那兒！」

「你——孤孤單單一個人？」稚盈誠懇地，再次確認著。

以行凝神一聽，穿越了一個思維裂縫，突然，醒了過來。

「啊？」他張開大口，直叫一聲。

他自我質疑了起來。

「或許是，或許不是，我好像在作夢，因為，那個我，很像是孤孤單單一個人，又像是……」

「又像是什麼？」

「像是，像似，一個人也沒有，沒了人形，沒了樣貌，什麼也沒有；卻又是一個完整，一個真實的我。」

以行語無倫次起來了。

可阿光一聽，卻生發出一種迫切需求，想搞清楚一切。

他直直逼問：「那個『我』不是這個我，對嗎？」

他邊說邊指向自己的肉體。

可阿光又有某種不確定感，不知自己說了什麼？問了什麼？

可以行卻直覺地懂了。

「對。」

他簡潔肯定的說。然後，無比認真的尋找著貼切的話語，斷斷續續地說了下去，「那比較像，像是我在夢中。可是，如果我在夢中，為什麼一切的一切，又如此的真實無比。」

「那種感覺，或許比較像是——」

「我就是夢。」

「對，我就是夢。我是充滿意識的夢本身，我是能量的波動，只是波動。」

稚盈誇張的比手畫腳，一付難以置信，自己能找到如此真實、貼切的字句，來聊表那一份抽象無比的內在真實。

稚盈為了自己說出口的話，悸動不已！

「我只是能量的波動。」

阿光似乎糊塗了，卻又是終於理解了。

於是，他不自覺的，點了點頭。

「不只是我，難道你們也被……」以行訝異不已。

「被流竄擠壓的能量波，拉拉扯扯。」

「那能量波，像是會把人穿透，切割，撕裂，成為千千萬萬的碎片，然後，變成細小到不行的微塵或粒子。」

「粒子波動的能量波啊！」

「而千千萬萬的微塵，又交揉聚合，成為一個巨大的整體……」

「巨大的整體，卻像陷溺在黏稠的沼泥和岩石下……」

「被擠壓，被拉扯，被撞擊，……」

「又像似我在擠壓、在拉扯、在撞擊，……」

「一直不斷的變動著。」

「對！就是那樣。」

「對啊！」

*****

「於是，我就使出全身的力氣，晃了晃身軀、甩了甩手臂，結果……」

「有些輕盈的東西，就從千千萬萬的碎片，從污濁氣流、從黏稠沼泥、從無數岩石間抽離、抽離、抽離出來。」

「那是空靈的波動。」

「然後，千千萬萬的碎片或是微塵，又向著、向著我……」

「向著我靠過來、聚攏過來，是嗎？」

「一團黑壓壓的沉重感。」

「對！而且，在不斷聚攏中，有一種模糊的感覺，說是模糊，卻感覺非常非常的巨大……」

「原先那種巨大的、整體的感覺，就越來越真切，越來越完整了，是嗎？」

「沒錯，就像從懵懵懂懂中，有了某種整體存在性。」

「無量的粒子微塵，聚合在一起。」

「聚成了我。」

「嗯，那種感覺，也像似我從沼泥、岩石間，誕生了出來。」

「而這些沼泥和岩石，見證著我的出生。」

「或者說，我被喚醒，喚醒了一種存在的感覺。」

「而且，感覺自己就像是一個大巨人。」

「對！我是大巨人。」

「自由的大巨人。」

「於是，我用力推、用力推、用力推，推開壓迫得讓人喘不過氣來的事事物物；我邊推邊挺直腰桿，邊推邊伸展雙腿，我用力推、用力推、用力推，越推就越有人身的意識了。」

「我為我自己，推出一個可以站立起來的空間，推出了我的天地。」

「真的耶——那感覺真有千萬年那麼久！」

「而且，在這天和地之間，我一直長、一直站立著，站成一個堅持到底、碩壯無比的大巨人。」

「『我』和天和地在這個空間中。我本來就存在這兒！」

「對！我本來就在這兒！」

「這兒就是我的天地。」

「沒有他處可去。」

真是難以置信啊！

時空戰士，你一言、我一句，字字句句，皆跳脫了常情常理，令人難解，摸不著邊際啊！

可這番荒唐話，卻來自澈底驚嚇後的心靈解放，觀念全面解構下的真知灼見啊！

*****

以行的心底，如湧泉般湧現悸動。

他渴望敘說這一場離奇、荒誕的旅程，好發洩內在的澎湃能量，紓解強烈波動，安撫自我身心。

真是好一趟烏里哲索星的探險旅程啊！

旅程中，旅人感到事事反常，違背倫常禁忌，卻又發現了某個未知，卻真實的自我。而且，這荒誕不羈的內在真實，是如實生活中的神祕禁地呀！

這一切的一切，是旅人探險烏里哲索星時的渾沌大衝突，是戰士臨現宇宙中的永恆矛盾。

這個渾沌大衝突，是來自戰士曾有過的思維餘孽，對上當下思維、體驗時的頑強抗拒；這個永恆矛盾，是慣性思維對上卓知新見時，不知所措的慌亂反撲、圍剿、逼迫和恐嚇。

「哎！」以行暗自嘆了一聲，感覺自己就像豬八戒照鏡子，裡外不是人，而苦苦掙扎，自我折騰著。

「難道，我不再是我了嗎？」

他被自我逼迫著，陷入某種孤獨中的無語狀態，好久好久。

然後，他又搖著頭，說：「奧秘啊！奧秘。這是多麼的真實無比啊！」

「是啊！」

「而且，歷歷在目耶！」

「難道在時空旅程中，我們都曾是孤獨的大巨人？」以行帶著困惑，喃喃說著。

可他的心中，似乎早有答案，卻渴望著，再問上一問。

「以行，我們是來探險的，不是嗎？」阿光難得正經的提醒著。

「是啊！但是，不知該如何說起？」以行張開雙臂，又像是在說，「好啦！沒關係，現在我已不在乎了。」

稚盈認真的回想著這趟時空旅行，說：「這是一個道道地地的回歸旅程。我回歸到自己與自然，很親密很親密的關係中。」

「人與自然，合而為一。」

「多麼奇妙的天人合一啊！」

「那是一種神靈的狀態……」

「嗯，我們絕不只是有這個具體肉身而已！」

「說到具體肉身，甚至有那麼一陣子，像似身體不見了。」

「一切都沒了。」

「像是死了！」

「可是，後來又——」

「又感覺到風的吹拂，對不對？」

「對！雲乘著風，輕輕飄動。」

「或者說，飛上雲天了。」

「或者說，雲入天心了。」

「還有，遠方的雷霆……」

「還有，太陽、月亮、山河……」

「還是，我們就是風、是雲、是山、是太陽。」

「我們的世界，就這樣創造出來了。」

「哇啊！夠勁爆勒！」

「然後，我發現你們囉！」

「是我先發現。」

「我先……」

「別爭啦，你們兩個！」稚盈當起糾察隊。

「喔——」以行摸摸自己的頭，有點不好意思啦！

「沒關係，我也有孤獨感。」

「其實，我們都在一起，對吧！」

「對！我們都在一起。我們從來就不是孤孤單單一個人。」

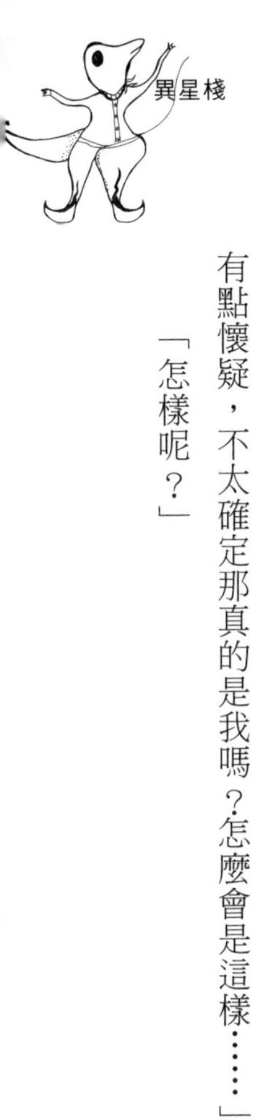

「我們都在一起。」

*****

突然，連梭長出現了。

「恭喜囉！這一段行程，共花用了四十七小時七分又七秒。」

「這麼快啊！」

「是啊！我們是經由蟲洞，進行時空旅行。」

連梭長的出現，旅人才真正意識到自己正搭乘時空梭，進行搶救神話的任務哩！

「剛剛，我看見了——，」稚盈張著晶亮的眼睛，看著梭長，卻又支支唔唔，不知該如何說下去。

「看見了什麼？」連梭長極為關心的問，帶著濃厚的興致，等著。

稚盈沉思了好一會兒，才說：「看見那種怎麼想也想不到的自己，可是，又有點懷疑，不太確定那真的是我嗎？怎麼會是這樣……」

「怎樣呢？」

阿光迫不及待想知曉一切，好快快安頓心中的迷茫和不確定，就有點等不及的說：「哎呀，就是不可思議啦！」

「了解。不過，你們是不是看見了，從來不曾見過的自己？」

旅人聽到連梭長這樣問，頓時有了豁然開朗的歡欣和雀躍，同聲應著：「是啊！」

「就是這樣。」

「所以，那個怎麼想，想破了頭，也想不到的無比巨大的存在就是我自己。」

「所以，我真的真的在混沌的宇宙時空中，在烏里哲索星，看見了不可見的自己。」以行高揚著頭，以確切的語氣說著。

「那是一個很大很大的自己，不是這個自己喔！」阿光比手畫腳的說。

「而且，我也在最微小的細節和粒子時空裡。」這時，以行了了分明的記起了自己老愛撥弄的瀏海的髮根的腺體裡的那個我。

「是啊，你們已進入無垠的心靈時空，穿梭在無形的心靈世界了。因此，你們才能看見極微細粒子的自己，知曉自己是極為巨大的宇宙人了。」梭長又說。

「是啊！」在莫名的感動中，旅人豁然開懷的應著。

然後，旅人不約而同，對生命的擁有，感到興奮至極。

「人啊！不僅存在人類的歷史文明中，也存在自然宇宙中。」

「沒錯！確實是這樣。」阿光開心的應著。

「這就是時空遊戲的奧秘吧！」以行仍悸動的說著。

「對啊！千萬年來，人們只要真切的體驗神話故事，就能連結上宇宙大能量，把宇宙重新創作一次，復原混沌的大力量囉！」連梭長眼射異樣神采，以著些微悸動的語調，邊頷首邊說。她從實際導航的體驗中，終於超越了意識層面的有所知道；她真的懂了。

終於，懂得宇宙創生的大力量了。

「我曾以為，我要死了——」以行小聲的說著。

「現在，還活的好好吧！」

「嗯，不過，我還是有點精神錯亂的感覺。」以行低著頭，自言自語著，似乎仍陷在某種自我困擾中。

「人生旅程的現實，過了，就過了。」

「過了，就過了，什麼意思呢？」

「早晨來了，早晨走了；中午來了，中午走了；晚上來了，晚上走了；有春天的來到，就會有春天離去；夏天……」

「那是一種消逝狀態，也是一種死亡吧！」

「沒錯，分分秒秒中，過了，就過了。消逝一直都在，死亡一直發生。」

「不過，時空旅行協助我們，破除了思維觀念體的框架，進行精神出走，跨越了肉體上的重重限制，來到了世界的盡頭。」

「我們回得去嗎？」

「會，肯定會的。我們肯定會從世界邊緣回來。不過，人生旅程，總會有些不如意的事。人啊，一定要記得，一旦陷入黑暗時空，越是黑暗，越需要摸索。」

「因為黑暗，一定會過。」

「有黑暗，才有光明。」

「沒錯！越是黑暗，越需要勇敢地，搗碎平日生活中，那套思維模式和價值判斷系統，拆卸身上的行囊，為自己掙得一方新天地，長出新生命。恭喜你們，過關囉！」

連梭長鏗鏘有力的說完，視訊螢光幕上，快閃了一道藍光。

然後，視訊消失了。

時空梭的變速器，自動轉換速率了。

空間推動器，靜悄悄地啟動了。

時間推動器，也自動啟動了。

罵爾星戰役

旅人乘著專注的思想力，深深地，潛入意識海的底層，看見了一切鏡像，竟是幻化無常，嘩啦嘩啦，匆匆而去，極像浪潮的湧現，漲了又退，退了又漲，彼此複製著彼此，卻從未見過相同的浪花。

浩瀚星空無邊無際，神話號平穩的穿梭時空，旅人品嘗著時空餐。

時空餐，有許多分子料理，像泡泡狀的馬鈴薯和嗶嗶啵啵的巧克力。還有，黃金蛋、草仔粿、湯包、蚵仔煎、燒賣等許許多多小吃，真是賞心悅目的美食饗宴。

「怎麼沒有燒餅油條？」

「饞喔！這麼多，還不夠？」稚盈以開玩笑的口吻邊吃邊說

「哪有？」阿光辯解著：「我只是想知道燒餅油條的分子料理，會長得什麼樣？」

「少貧嘴啦！明明是嘴裡吃著這一味，心裡念著那一味。」

「嗯，好吃。」以行置身事外，輕鬆品賞美食。

旅人得到味蕾的極致享受，充份休息後，不知道為什麼，覺察到神話號變小

了，越變越小，似乎還冒起縹渺的煙柱，然後，小到成為一個粒子，一個「點」。那個「點」，看不到、摸不著，只能憑藉著來自洪荒的感覺，才能發現。那個「點」，明明是神話號，卻似乎也是你，是我，或是別的什麼東西。

於是，戰士們迅速波動起警覺意識來了。

「飄離軌道了嗎？」

「不清楚。」

「怪異得驚人啊！」

轉瞬間，旅人落入迷茫時空，迷航了。

「我們在哪兒？」

「梭長，你在嗎？」

然而，不見連梭長的蹤影，沒有任何回應。

「我們失聯啦！」

迷航的旅程，只有旅人自己。不過，別怕。

迷航，往往不是真正的迷航。

迷航，只是穿梭陌生星際，航向未知境域，只是即將啟動另一波冒險旅程罷

了！這時，阿光敏銳的捕捉到，非常微細的情緒波動。

那波動，是如許的陌生。

喔，不！

那波動，竟然，是如許的熟悉。

那熟悉的感覺，讓他充滿悸動和激情，以致於全然地想要跟它面對面，來一個大大的擁抱。

可是，一下子，又變了。

那波動，竟然，讓人感到擔憂，感到茫然，感到澈底無助，甚至，一路掉到某種無以名狀，極想逃避的境地。

一時之間，阿光驚恐萬分，無法適應陡然變化的時空氛圍。

可是，剎那間，那個「點」，就憑著那個小小的「點」，竟讓人意識到「啊！久違了，久違的我！」

那意念，是蹦跳的猿猴，一晃眼，就消失在濃密的叢林間，不見了。

那意念，是飛馳的神馬，一眨眼，就掉入深沉的蒼茫時空中，幻化成一種無邊無盡的虛無。

而且，在虛無中，一切似乎空了！
可就在那似乎空了的虛無中，嵌著那個「點」。
而且，就憑著那一丁點的真實，旅人看見了流轉的光，聽見了柔美的歌聲：

流轉的光捉迷藏，沒有快樂和悲傷。
流轉的光在哪裡？它要帶你去遊戲。
流轉的光團團轉，翩翩舞動繞圈圈。
流轉的光在哪裡？它要打開那記憶。
流轉的光變魔術，紅橙黃綠藍靛紫。
流轉的光在哪裡？看吧看吧在這裡。
流轉的光愛流浪，頻頻搖晃要啟航。
不斷閃爍著呼喚，走吧走吧去遊歷。

「嘿，看到了沒？」

「不僅看到，還聽到哩！」

「要跟嗎？」

剎時，流轉的光輕撫著旅人，讓他們有了輕鬆自在的感覺。柔美的歌聲，持續呢喃著：

別說，不要說。
不要再說。
跟我來，跟我來，
一起去遊歷。

稚盈升起一種模糊的思念，又像是一種冷漠的期待；有一點心酸的況味，又像是渴望的企盼，混雜出一種莫名奇妙的茫然與清明。

她不禁自言自語著：「怪奇呀！」

然後，流轉的光，轉啊轉，轉出綠油油的野地，燦爛的花朵，還有，茂盛勃

發的矮樹叢。一隻小鹿藏身矮樹叢間，張著晶亮透澈的眼睛，好奇的探看著。粉蝶、蜜蜂飛來飛去；瓢蟲、蚱蜢忙著遊戲。

可一棵虬髯老樹上，突然竄出數十隻松鼠，各自清楚地趴立在主樹幹、粗樹枝上，全面警戒的拍打蓬鬆尾巴，盯哨著旅人；此起彼落叫囂著，警告著闖入地盤的戰士。

這時，微風徐徐，拂過野地。

「好舒服喔！」

沒來由的，稚盈就在野地裡，奔跑起來；阿光也跟著奔跑起來。

奔跑中，阿光望向稚盈的烏黑長髮，竟化成了波動的大海。以行望著他們追逐在流動的光影中，不禁興起羨慕的幸福感。

「真好！這是哪兒呢？」

轉眼間，離奇的光影，就在以行的注視中，變成一種時光隧道，重疊著過去、現在和未來，雜沓紛紛，稚盈不再是稚盈，阿光不再是阿光了。

＊＊＊＊＊

原來，旅人乘著專注的思想力，深深地，潛入意識海的底層，看見了一切的鏡像，竟是幻化無常，嘩啦嘩啦，匆匆而去，極像浪潮的湧現，漲了又退，退了又漲，彼此複製著彼此，卻從未見過相同的浪花。

這時，阿光聽到了夢裡難忘的波濤，浪聲哄嚨轟隆，斷不了。於是，他順著浪波的韻律，傳送著「我在大海中耶！」

「大浪潮來啦！」以行邊喊，邊衝向浪濤。

「嘿!海豚。」稚盈的聲音，跳躍在浪濤上。

阿光隨著聲音，眺望過去，稚盈已騎在海豚上，追逐著翻飛的白浪頭。

突然，海豚一躍，稚盈從海豚背上滑落下來。

「糗大了！」

可她念頭一閃現，海豚就精巧地用鼻頭接住了她，然後，頂她，把她高高地拋向藍空，劃出一道彩虹橋，然後，一起啪嗒落海，飛濺出壯美水花，再一起潛入深海裡，徒留一朵朵浪花，紛紛亂亂的落了下來，奔馳而去。

白浪花，輕盈飛躍在七彩陽光下，映現出一個個不同的美麗世界。可是，在那朵朵美麗浪花的乍現中，一切的形體，似乎在頃刻間，離形去體，神奇的轉化，

成為一種陌生事物。

但是，萬萬想不到，陌生事物，又聯繫著一種絕然的辨識快感，讓人了然於心，讓人感受到一種恣情快意的神妙，體驗著剎那成永恆的絕境。

*****

突然，大海時空像一個超大的烤箱，熱氣蒸騰，白茫茫一大片。

「喔——好熱喔！」

「怎麼越來越熱啊！」

阿光疊聲抱怨，望向漫天漫地蒸騰的熱氣。滿天蒸騰的熱氣，快速移動聚攏，正要成為一個哀傷的龐大驚嘆號！

而當驚嘆號正要完成時，時空又幻化了。

「天啊！大海蒸發不見了！」

「熱啊！」

「真是熱死人啊！」

稚盈凝視遠方那片蒸騰的白霧，舉手揮汗。

「嘿，你們看！雲朵要燒起來了。」

「啊，雲朵火辣辣的燃燒起來了！」

砰——，燃燒的雲朵，引爆了磅礡的星火。

戰士們，驚嚇不已！

磅礡的星火大軍，由火神領軍，遠從紅天衝向綠地，猛烈進攻來了。

火神領著千千萬萬飆火車隊、星火族，和千千萬萬燒燙的餘燼塵團，遠從無數光年外的罵爾星際，鋪天蓋地，沿路燒殺荼毒，襲擊大地、山河、樹林、屋舍、人群和動物。

「糟了！」

「星際大戰開打了。」

「火箭直射而下。」

稚盈呆若木雞，仰望罵爾星異軍，浩浩蕩蕩地，攻向大地。

火紅光影，映照出無邊無際的紅天紅地。

「跑——，快跑啊！」

旅人驚恐萬分，不容片刻稍待；殷紅血池般的雙瞳，沒命似的梭巡到一個倖

存的莊舍。

「那邊，逃向前方村莊。」慌亂中，阿光高舉手臂，向村莊跑去。

旅人不做多想，即刻飛奔而去。

*****

一眨眼，莊舍也變了樣。

一輛輛飆火車，穿梭低空，不停地發射火箭，無情地襲擊莊頭庄尾，空氣中充斥著硫磺氣味，條條赤煉鞭，熾吻大地，龜裂河床，炙燙岩石，剎時，整個村莊，陷入火海，成為火燄莊啦！

村民倉皇叫囂。

「要命啊！」

「逃，快逃！」

「快逃啊！」

飆火軍隨處放火，赤熱火燄，緊跟著人群延燒，狂舞。

事出突然，旅人嚇得東張西望，一時之間，還真不知該逃往何處？

就在這時，阿光瞥見了爸媽的身影！

「爸爸——」

剎時，阿光不顧飆火軍的肆虐，忘了自身安危，執意地，瘋狂奔赴，衝進戰火狂潮；不顧罵爾星異軍團的追殺，沒了理性思維，執意地，穿越赤熱火燄，奔赴火場裡的爸媽。

「阿光，不要——，火太猛烈了。」稚盈隨後吼叫制止。

「別撲火啊，阿光！」以行試圖拉住阿光。

可阿光懷抱著破蛹的衝動，飛蛾撲火般，執意地，狂奔火坑，馳向難民潮。

火舌四處蔓延亂竄，阿光在灼熱的火紅眼影下，看到雷霆萬鈞的戰火，勢如破竹，蜂擁而來，像大海嘯般淹沒難民潮，吞歿一切。

「爸媽呢？」阿光的心，狂跳不已！

「爸爸，你在哪裡？」

阿光陷溺紅海亂潮中，拚了命的找著，沒了命地嚷著。終於，他又看到了爸爸。

「爸——」阿光沒命似地往前奔馳。

爸爸聽到阿光的呼喊，慌亂不已的轉頭搜尋，一不小心跌倒，撲趴於地像土堆；還來不及爬起來，緊追於後的逃命難民潮，就無動於衷地，踏上礙路的土堆，狂奔而過；逃命狂潮，誰也無暇多看，誰也無心多停，接踵踐踏土堆，揚長逃命而去。

「爸爸！」阿光奮不顧身，發狂似的，為自己殺出一條生路，悲痛萬分地排開無情的毀滅性逃命潮，殺出一條奔馳救援的險徑。

同時，他目睹了媽媽倉皇轉身，以著螞蟻般的微弱身軀，力戰全面擠壓而來的巨大逃命狂潮，發瘋似的，推擠出逆向竄逃的縫隙，執意的，衝向倒地不起，被踐踏而過的爸爸身旁，……；他也執意的，逆抵狂亂逃命潮，瘋癲似的，衝向混亂赤焱，急切切地叫喚著：「爸爸。」

「爸爸——」

爸爸，聽到了。

他痛苦萬分的抬起頭，喊著：「逃——阿光！」

爸爸趴在地上，使盡力氣喊著：「逃！」

在飆火軍的索命聲、爆裂物倒塌聲、人群尖叫聲和逃亡呼嚎聲中，爸爸微弱

的警告聲，被淹沒了！

愛子心切的聲音，喑啞的消失殆盡了。

萬般艱辛，寸步難行。阿光瘋狂的衝到爸爸身旁，心中有著尖銳的刺痛。

「不——」

他無視索命的飆火軍，不顧祝融荼毒、火舌亂竄，劇烈的搖晃著爸爸，嘶吼著：「爸爸，起來，快起來呀——」

飆火軍追殺逃命狂潮，逃命難民穿梭在熾烈火球和亂竄火舌中，屋舍不時的轟然崩塌。

竄動的群眾，咆哮著；逃命嚎哭聲，不絕於耳。

「媽——」

「孩子啊，我的寶貝，你在哪兒？」

「快逃——逃離這惡毒的一切。」

「起來呀——，爸爸。」

「逃，快逃——逃開這裡——」

「快逃，死命的逃，別回頭。」

剎時，火燄莊變成人間煉獄。

*****

阿光感到劇烈疼痛。

疼痛，快速的在阿光的心理和身體，無情的蔓延開來。

「爸爸，起來呀！」

爸爸呢喃著：「我在這兒出生，在這兒長大，我哪兒都不去。」

「起來，爸爸。」

「這兒是我的家鄉，我熟悉的一切，我的一切啊！」

「沒了，一切都沒了。」爸爸微弱的呢喃著。

那抖顫的呢喃，讓阿光有了劇慟。

那慟，鎖住心口，堵住喉頭，他無法言語。

「阿光——」以行閃過塌倒的圍牆，叫嚷著。

「阿光，你在哪裡？」稚盈躲過火球族的攻擊，慌張尋覓著。

時空戰士們，渾身灰煙，狼狽不堪的彼此攙扶，躲過飆火軍的追索，越過赤火線，倉皇的尋覓；在慌亂危急中，瞥到阿光身陷火場，一動也不動。

「阿光！」

「你挺著，我們來救你了。」

可是，就在這時，火球族一波波連續襲擊而來。

事出突然，以行連想都沒想，奮不顧身，撲倒身旁的稚盈，保護她能避過連環火球族的凌虐、星火塵的炙吻。而且，就在撲趴於地的視野下，看見阿光身陷逃命狂潮中，卻一動也不動的跪地，哀慟著。

戰士們，閃過逃命猛獸，避開火舌紋身，伏地前行；冒著生命危險，穿越灼傷肺部的熱氣流，滿身灰燼，向著阿光一步步地，匍匐過去。

他們罔顧自身安危，直探險區，匍匐前進，執意的，要救援友伴。

可是，當他們來到阿光身旁，卻手足無措，笨拙地問著：「你還好嗎？」

喧嚷鬧騰中，阿光無動於衷。

「阿光？」

沸沸揚揚的逃命聲，漸離漸遠，阿光連看都不看他們一眼。

求著。

「走啦，阿光！」在臭氣滿天中，稚盈頂著被燒焦狂亂的長髮，紅著眼，哀求著。

「起來，阿光！」以行使盡力氣，拉扯跪地的阿光。

阿光一動也不動，無聲的淌著淚；灰茫的淚眼中，有一個模模糊糊的巨大黑影，越變越大。

於是，一動也不動的阿光，陷在灰茫的淚眼時空中，看著，追著，找著巨大黑影；可又似乎是逃著，避著，躲著那巨大的黑影，無聲的淌著淚。

「走啦，阿光，快走啦！」

「伯母，走啊！」

「快走啦！」

「完了，一切都完了。」阿光無望至極，蠕動著毫無血色的雙唇。霎時，無名的恐懼，侵襲了稚盈；她空掉了腦袋，不知該如何是好！

「完了。」阿光無動於衷，僵硬的呢喃著。

「阿光！」以行用力搖晃阿光的身軀，大吼著。

稚盈在以行的吼叫聲中，轉醒了過來；她也焦急的拉扯阿光，要他離開炙人

焦土，混亂火場。

可是，阿光仍望著那巨大的黑影，久久地，迷失在一團渾濁混亂失控的情緒時空裡，漸漸地，竄生出一頭無形的恐懼怪獸，靜默的爬呀爬，爬滿全身，迫使他掉到那越來越暗的黑影中，不知該逃到哪兒？不知能避到哪兒？

只能，蠕動著死白的嘴唇，重覆說著：「完了——」

「完了。」

在罵爾星球的時空裡，絕望全面來襲，死死地，籠罩住阿光。

「逃啊，阿光！」稚盈死命地催促著。

這時，以行和稚盈，看到一個巨大的黑影完完全全的罩住阿光，還偷偷地盜走了他的魂魄似的，竄向深深的暗土。

阿光張著呆滯的雙眼，望向暗土。

那兒有個更暗更黑的黑影，在阿光淌著淚的瞳孔裡，擴散，擴散。

旅人也震驚魂魄似的，整個人呆立原地。

不知過了多久，阿光終於在沉重黑影的籠罩下，回魂似地，看到身旁的媽媽。

漫天漫地，媽媽快被痛苦淹沒了。

阿光看到了快被淹沒的媽咪，突然，絕望的死勁大喊：「不可以，爸爸，不可以啊！」

阿光無力的嘶喊著：「爸，起來！」

*****

然後，阿光感到有個虛無迷轉的「點」，透著微光，轉啊轉，轉出一片細白沙灘。

媽媽和阿光，在海邊追逐著。

阿光在海邊追逐著媽媽；媽媽的長髮，是舞動的黑波。

浪潮嘩啦嘩啦，衝向媽媽。

媽媽返身，把大把的海水，潑向阿光，說：「來，別害怕！海水挺涼、挺舒服的。來吧！阿光。」

阿光童稚的笑聲，跳躍在嘩啦嘩啦的浪潮中。

可是，才那麼一下子，遙遠歡樂的浪潮笑聲中，卻又飽藏著悲痛和離愁。

剎時，嘩——悲痛和離愁，整個淹沒阿光了！

他似乎掉落在即將滅頂的悲苦愁海中，卻又死命啪打、胡亂踢浪，猛力的竄出頭來，欲想吸入活命的空氣。然後，在意識想像的時空中，他苦苦掙扎，掙扎在焚身的熱浪、熾熱的火球，不斷的，襲擊而來的罵爾星戰役時空。

倉皇的群眾奔跑、逃命在赤煉火光、混亂崩塌、嗆人濃煙中，一聲聲叫囂著。

「逃！」

「快逃！」

突然，阿光的眼角餘光，映現出媽媽癱軟無望的身影。飄忽的無望身影，剎那間，翻轉出絕地反攻的大勢能。

時空翻轉。

阿光整個人，倏地間，像極無敵大巨怪，有了堅硬無摧的巨大力量，昂起頭，堅挺的從焦土上竄升而立。

然後，大吼著：「起來。」

然後，大巨怪使出無窮蠻力，硬生生的拉扯媽媽，站立起來，完全忘了友伴的存在。

大巨怪以著雷霆萬鈞的力道，衝破一片狂亂的赤煉火光，粗暴的吼著：「起

來，媽媽，我們一起對抗──」

大巨怪以著粗野蠻力，扛撐起已癱倒的媽媽，粗暴地嚷著：「走！我們必需往前走！」

事出突然，以行和稚盈，一時之間，沒反應過來。可當他們會意態勢時，馬上拔腿，隨後追趕而去。

「阿光！」

「滾。」

旅人錯愕了一會兒，然後，持續呼叫。

「阿光──」

「滾，你們滾，沒你們的事。」

「阿光──」

「少囉嗦！」

阿光悍然的，拒絕了友伴的熱切關注，孤傲的，斷裂了友伴間的情誼。

「阿光──」戰士不以為然，急迫的叫喚著。

「滾，別再跟過來。」

哎，罵爾星戰役的赤煉火光，燒黑了大地房舍，也熔蝕了親人的愛，朋友的情誼了。

*****

在黯淡的時空中，阿光時而撐扶媽媽，時而拉扯媽媽，沒命似的，在罵爾星趕著路。至於，他的腦子裡，糾纏著什麼樣的念頭，纏繞著那些事，就是無從想像，無從窺視。他領著媽媽，明明是趕路人，卻又躲躲閃閃，驚驚慌慌，像是要躲開貪婪惡棍的追逐，也像是要逃開破敗卻珍貴的棲身之處，一路顛簸的趕著路。

趕在赤煉火光的寂寞時間裡，阿光突然長大了！

然而，罵爾星戰役的赤煉火光，從焚莊那一刻起，就一直延燒，延燒到阿光的白天、夜晚和夢想中。

延燒。

而那夢想，不論是白日夢或夢魘，都逼迫著阿光出走。

出走。

能走多遠，就走多遠，流浪到遠方！

05

大巨怪的鬼火影

赤燄火光，一路延燒；從阿光的童年，一路延燒到他的寂寞時光裡。在寂寞時空中，阿光似蝸牛，頭一縮，就躲進硬殼裡，把自己禁錮在赤煉火光中，禁錮在心靈牢籠裡，流放著自己，變成大巨怪。

巷弄裡，陽光少得可憐。

有一幢低矮屋舍，簡陋的留有一方氣窗和一扇木門。氣窗，僅有四個手掌大，嵌掛著破了一角和三條裂痕的玻璃；木門，窄小斑駁，配戴著三副破舊難用的門鎖。

下課時，陽光隱沒的無影無蹤，巷弄昏昏暗暗。

屋內，很悶熱。阿光從冰箱裡拿出幾乎要見底的冰水壺，翻出一盒水餃，打開盒蓋，飢餓的眼神，胡亂地掃了一眼，擠成一團的冷餃子，沒有多說什麼，就用手指筷夾了起來，直往嘴裡塞，安慰了空虛的腸胃後，再提起空水壺，準備燒開水。

爐火紅光，像鬼魅般在昏暗屋角，跳著舞。這時，窄小僅容轉身的廚房，更

悶熱了。阿光背靠矮牆，手肘擺在薄木板桌上，等著水煮開。

可沒多久，他就在積累的熱氣和舞動的鬼影中，累得昏睡過去了。

火爐上的熱水，呼嚕呼嚕翻滾，熱氣急速上衝，壺蓋吵吵鬧鬧，不停的翻掀。突然，氣笛聲，高亢揚叫，劃破滯悶的廚房，刺人耳膜。

阿光驚得跳了起來。莫名其妙的，出口直說：「對不起，媽媽。」然後，關掉爐火，轉身望了望昏暗巷弄後，又坐回桌邊，托著下巴，發起呆來。沒多久，他又打起盹，陷入一再出現的夢魇時空了。

赤燄火光，愈燒愈熱、愈燒愈旺，霹靂啪啦，一路延燒；從阿光的童年，延燒到他的寂寞時光裡，成了頑固不已的大巨怪。

在寂寞時空中，大巨怪阿光就像蝸牛，頭一縮，就躲進硬殼裡，把自己禁錮在赤煉火光中，禁錮在心靈牢籠裡，流放著自己，然後，無意識地在腦海裡，轉著一遍又一遍的老調兒，不自覺地，低吟著夢想之歌。

走啊！走啊！
走到遠方去流浪，

流浪到遠方！

走啊！走啊！
走到遠方去流浪，
為了夢中的火光，
為了火光中的家鄉，
流浪到遠方！

走啊！走啊！
走到遠方去流浪，
為了夢中的火光，
為了遠方的太陽。
流浪到遠方！

走啊！走啊！

走到遠方去流浪，
為了夢中的火光，
為了遠方的太陽。
去流浪——

在平常，阿光有事沒事最愛呼朋引伴，總是人來瘋。可是，大巨怪會難以預期的出沒，攪亂他的好心情，害他變個樣，亂了譜，陰起一張臉，逃開好友，躲開一切。

大巨怪一出現，他就會瞬間戴上面具，成了調皮搗蛋鬼，成了孤僻冷硬怪咖，成了暴躁恐龍，成了刁鑽討厭鬼，讓友伴莫名其妙，不知該如何是好。

大巨怪一出現，阿光就莫名的上了火，動了氣，連以行和稚盈，也是沒輒，只能徒呼無奈，假裝看不見。

可是，氣什麼呢？

他說不上來。

大巨怪一出現，他就煩躁的說東道西，嫌這嫌那，看誰都不順眼。

可是，該惱誰、恨誰呢？

他不知道。

大巨怪的意念，劇烈波動，竄來竄去，亂無章法，害得他撐著滿肚子的廢氣，脹得痛死了；而一堆亂七八糟的思緒，快速攀生蔓爬，牽拖又牽拖，胡亂糾葛，幾乎要擠爆劇痛欲裂、沉重如鉛的大腦袋，搞得全身各個細胞，滿脹著即將崩裂的憤怒意識。

而且，挺要命的是，旅伴們逃不開，避不掉，一併被捲入大巨怪的殘破記憶裡，臨現在大巨怪瘋癲狂妄臆想編導而出的亙古老戲碼裡，陷入有許多個滾動熾烈火太陽的時空，抽不了身。

大巨怪看著熾烈火太陽，耀武揚威似地，在遼闊的青天上，滾來滾去，就恨得牙癢癢，憤怒極了。

「該死的太陽！我來找你算帳了。」大巨怪噴出熾烈殺意，引燃周遭空氣。

「怎麼搞的，好難過喔！」稚盈張大口，吸著氣。

「我快不能呼吸啦！」以行踉踉蹌蹌，被熾烈熱氣逼退好幾步。

更絕的是，大巨怪扭動全身，熾烈空氣像狂風中的波濤巨浪，洶湧翻騰，膨

脹又膨脹，然後，砰——

轟然巨響，熾烈空氣，爆裂了。

震盪不已的空氣波濤，以大巨怪為震央，迅速向著四面八方，一波波幅射遞傳，淹沒一切。

戰士們，目睹這難以置信的荒謬劇，驚慌失措，無法思考，身陷危險重重的瘋狂氣波中，即將溺斃。

「怎麼會這樣？」稚盈爆凸著眼珠子，荒腔走調，全身顫抖著連連後退。

「天啊！」以行陷入極度困惑與恐懼中，真不知該如何是好！

他們只能憑藉著本能回應，逃開熾熱氣波的襲擊，避開眩暈震波的傷害，僥倖的閃過劫難，躲過無妄之災。可是，在劇烈震盪，紛擾翻騰的氣波中，幻現出一隻隻妖魔鬼怪，瘋狂追逐，逼迫，威脅，挑戰大巨怪，甚至集體合作，要獵殺大巨怪。甚至，連以行和稚盈，也不放過似的追殺過來。

情勢萬分緊急，激起了旅人同仇敵愾的熱血，孑然肉身，赤手空拳，投入極端紛亂荒謬至險的戰場，而忘了自己，忘了真實。

「啊，危險。」稚盈尖叫。

「這些妖怪，從何而生？從何而來？」

旅人不得而知，只能勉力聯手，對抗群妖。

這時，大巨怪瞎了眼啊！

他的眼底所見，竟是些不公不義的事件，全身上上下下，憤怒不已！

他對於所發生的事，茫茫然，全然無知，把所有的茅頭，通通向外發射；竟然還把義氣堅挺的旅人，看成衝著自己而來的妖魔鬼怪，屢屢出招，要脅逼迫，直陷戰士於險境。旅人被迫不顧義氣地，艱苦防衛，才能倖免丟了魂，喪了命。

大巨怪失了心啦！

他在罵爾星球，失了心，把好言好語的以行、溫馨救援的稚盈，還有公車、看板、樹木、房舍、衣服、鳥群、黑貓、石頭、青天、太陽……，都看成衝著自己而來的妖魔鬼怪；把一切的一切，全看成逼迫自己，威脅自己，刺殺自己的敵人。

他逼迫自己，掉入妖魔環伺，鬼怪追殺的罵爾星險惡時空，呼吸急迫地，對著事事物物，瘋狂吼叫：「別來，別來，別來喔！」

癲狂地，大巨怪的求生意念，激烈波動起來：「要活命，活命——」

「我一定要活下來。」

剎那間，變了！

驚世駭俗地，變了。

「天啊！阿光——」以行僵硬地連連搖著頭，緊搗著大嘴巴，緊縮瞳孔，瞪著一雙白眼，顫抖著聲音說：「大巨怪武裝起來了！」

牠手持雙刃鋼刀，配備巨大神弓和一大桶利箭，連連揮向眼底的群妖，無情砍向旅人。

稚盈嚇得連連後退，慌亂逃避，以求自身安全。

*****

終於，武裝大巨怪仰頭，直視青天。

牠直盯著數個火太陽，在赤熱雲朵間，活蹦亂跳，滾來滾去，劈下一條條赤煉鞭。

「啊，可惡！竟然，如此耀武揚威。」牠痛不欲生，怒不可遏地，大聲嚷嚷：

「可惡啊！」

「可惡！」武裝大巨怪，高舉弓箭，飛奔起來。

「看你能囂張到何時？」牠向眼中的火太陽，飛奔追殺而去。

然後，牠拉足滿弓，一箭彈射而出。

咻——

火太陽中箭了！

滿天集聚的赤熱雲朵，散了。

條條赤煉鞭，消失了！

武裝大巨怪，義憤填膺，狂傲地撒開腿，飛奔而去，又瘋狂追殺其他火太陽。

然後，再次拉足滿弓，一箭彈射而去。

咻——

火太陽又中箭了！

大地焦土，冒出一條條黑煙，像極地獄。

旅人嚇壞了。

他們僅能憑著無畏的勇氣，不要命似地，死勁奔向阿光，僅能憑著克服幻覺的識慧和動力，試圖喚醒好友，扭轉時空，救回一切。

可是，牠已不是阿光了。

牠是武裝大巨怪。

面對著瞬息萬變的時空壓力，旅人被虛幻的自我執著心，緊緊攫住，淪陷在萬般困惑、擔憂、恐懼、迷茫和不知所措的大黑洞裡。而且，無形的大黑洞，以著螺漩狀輪轉著，越來越暗，越來越幽冥恐怖，旅人感到無助無力。

「好恐怖的大巨怪啊！」

「你真是吃了熊子心，豹子膽，鐵了心，成了大惡魔。」

「牠是阿光嗎？」

「早已不是啦！」

「到底該怎麼辦？」

「牠已失了心，說什麼，也沒用啦！就別忙，別再忙了。」

「可是，總不能任由牠如此膽大妄為，欺天滅地啊！」

「我們幫不了忙，解決不了事，還越搞越糟，不是嗎？」

可是，穿越烏里哲索星的旅人，無法放縱如此無天無地的瘋狂荒謬行徑，懷抱著天地良心的宇宙人，無法就此置身度外。

宇宙人就是無法罷手。

「不能這樣啊！」

「要不然，還能怎樣？」

「我們是時空戰士。」

「我們要捍衛世界。」

「對，要捍衛到底。」

於是，戰士膽戰心驚的逼近阿光，畏首畏尾的制止著。

「夠了！」

「該停了！」

可是，這樣子，說了，等於沒說，做了，等於沒做，毫無作用。

武裝大巨怪，仍是義憤填膺，仍是癡妄瘋癲，直直向著赤眼中的火太陽，撒開腿，飛奔而去。

到底該如何是好呢？

稚盈六神無主。

她打從心底，怕了！

可她怕的是什麼呢？

焦慮恐慌，障礙了智慧之光，旅人懵懵懂懂，不清不楚。

無論如何，在此罵爾星異時空裡，稚盈環視周遭，沒有其他可能，只能依仗自己，只能依仗思想力，才能駕馭時空梭，突破時空啊！

於是，稚盈問向自己，質問自己。

「怕什麼？」

「怕武裝大巨怪啊！」

「可他是麻吉，他是死黨。」

「真是死黨啊！」

「他是阿光呀！」

稚盈在自我探問，在喃喃自語中，突然，有一股暖流湧現心底，奔竄全身，注成一股大無畏的力量。於是，她鼓足勇氣，氣灌喉頭，對著武裝大巨怪，驚天動地似的大吼出去：「阿光，停下來！」

「不可以——」

「該停了，阿光！」

「阿光？」
武裝大巨怪似乎聽到了些什麼，愣了一下。
然後，循聲回過頭來，呆滯地，看了看稚盈，似乎有了某種模糊的認識。
「不可以。」
稚盈對著呆滯的大巨怪，卯足了勁，把頭搖得像波浪鼓，亂髮甩得像舞動的黑波，就是要大巨怪醒了過來。
「不可以，不可以再這樣下去，該停了，阿光！」
「阿光？」
牠愣愣地看著稚盈，似乎找回些許意識。
牠呆愣地，想了好一會兒；然後，以絕對野蠻的陌生聲音，嘶吼著：「沒你的事，別管！」
然後，僵硬的轉身，撒開腿，邊飛奔而去，邊吼叫著：「要對抗，才能活命！對抗——」
那吼叫的聲音，帶著抖動的顫音，緊繃成強烈的攻擊意識；那吼叫的巨嘴，噴射出一顆顆黑色的微塵粒子，隱約飄浮，幻化成一張大黑幕，密密實實的罩住

武裝大巨怪。

以行感到刺骨寒意，隱隱約約，從黑幕裡滲透出來。於是，他皺起眉頭，仔細遙望端詳著。

「那是什麼？」

「什麼鬼玩意呀！」

「都看不清楚了耶！」

「阿光呢？」

「看來好像被黑幕吞噬掉了。」

稚盈擔憂不已，也撒開大步，追趕而去。

而牠越奔越快，奔成一坨飛奔的烏雲，然後，沉重的墜落，駐停在暗黑焦土上，射出一支死亡弓箭。

咻——

死亡弓箭，旋轉著飛射出去。

火太陽又中箭了！

空氣中，撼動著強烈空氣震波，整個大地哆嗦，打起寒顫。

戰士們，受到寒冽震波的襲擊，不約而同，驚恐的止住奔跑，僵立原地。

「好厲害喔！」

「真不是蓋的。」

「你是英雄！」

可是，話音一落，戰士不由自主的全身哆嗦，打起寒顫，莫名的驚恐起來。

*****

武裝大巨怪，收起巨大弓箭，又狂奔前去，奔成一坨快速移動的烏雲，然後，墜落，停駐在暗黑焦土上。

「啊！」

戰士們，互看一眼，了然於心，什麼話也沒說，就拼了死命，往前飛衝。

可在此千鈞一髮間，奔得再快，還是來不及呀！

「不可以，阿光！」

「你聽到沒？不可以。」

「阿光，不可以！」

「不——」

戰士們緊急連番制止。

武裝大巨怪，停住了；戰士急急忙忙，奔向前去。

牠楞頭楞腦的轉過身來，又呆滯的看著旅人，似乎在蒐尋某種連結關係，茫然了好一會兒。然後，又悍然轉身，咬牙切齒的說：「我在盡力，盡全力做啊！」

「你哪來盡力？」以行不服輸，全力反唇相激：「你瘋了嗎？這是蠻橫暴力！」

「我沒瘋，我才沒瘋。」武裝大巨怪大吼一番，不再理會戰士，又蹲跪在焦黑泥地上，高舉弓箭，瞄準火太陽，使盡蠻力，拉足滿弓，又要發射——

糟了！

情勢緊迫，刻不從緩。

「該怎麼辦呢？」

戰士無從多想啊！

「豁出去了！」

稚盈義無反顧，卯足了吃奶力量，不顧一切地，向著武裝大巨怪，狠狠地，

衝撞上去。

碰！

剎時，牠錯失了準頭，顛晃著龐大身軀，崩跌在焦黑泥地上。

機不可失，以行欺身而上，一把奪下利箭，隨即屈膝就要折斷它，想不到，利箭強力反彈，差一點就直直地震落了以行的下巴。

恐懼至極的稚盈，無從多想，無從多做，就以尖銳的激高分貝，淒厲如鬼哭嚎般，對準牠的大耳朵，嘶吼著：「不——，不可以！」

那聲音，像極遙遠時空的迴音，嚇住了牠！

霎時，時空翻轉。

*****

武裝大巨怪周遭，鼓動起一股冰冷的幽冥氣息；寒氣直直沁入戰士的骨子裡，打冷顫，全身痠軟無力。

牠更是盡失所有心神，跌入頹廢無望的心理空間，恍神的抽搐著龐大身軀。鋼刃、匕首、巨弓，順勢滑落焦地；然後，突如其來地，滿臉扭曲，痛苦掙扎，

然後，引爆強烈的空氣震波，遞傳輻射而出。

在震波的模糊影像中，武裝盔甲，一片片，鏗鏗鏘鏘，掉落下來。

然後，大巨怪抖顫著龐大身軀，虛弱地懊惱著：「對抗，要對抗！」要對抗。

不知過了多久，大巨怪仍然不得安寧地，燃著恨意的眼神，莫名其妙地，直直射向稚盈，粗暴地說：「要走，現在就走。」

唐突，真唐突。

戰士們，想不出個大概樣子，無力回應，雙雙落得呆呆愣住。

大巨怪，沉重地轉身，瞪向層疊密雲裡的火太陽，咬牙切齒，說：「少得意啦！」然後，夾雜著挑釁的火藥味，又辛又嗆的宣告著：「追就是了，我是無敵大超人！」

「不可以，阿光。」稚盈難過極了。

「我們是宇宙人啊！難道，你忘了嗎？」以行無力至極。

「可恨啊，你真是磨人精。」稚盈連連搖著頭，然後，又喃喃自語著：「難道你在害怕？」

「哎，可憐啊！」

「真可憐！」稚盈感到無比哀傷。

*****

大巨怪風塵僕僕，追著赤眼中的火太陽。

太陽熱力四射、火力全開，燒炙著生命荒原上的玄黑巨石和瓦礫硬土，燒烤著大巨怪，讓他暈暈眩眩。

恍神中，他似乎看到了爸爸被追趕、被踐踏；爸爸有如糞土，被逃命狂潮，踐踏而過。剎時，莫名恐慌，湧上心頭。

他用力地，眨一眨乾澀雙眼，定一定心神，好確定自己正在追殺火太陽。

可是，真的嗎？

還是，大巨怪盲目的追著一團狂熱火燄的鬼火影？

他不太確定。

荒原上蒸騰的熱氣，迷亂著他；他掉入年少的心靈時空，迷亂在生命荒原裡。

「阿光，快逃！」

「爸爸嗎？」他異常慌亂，停下來張望。

可是，什麼都沒有！

這話兒，就飄忽在荒原裡，也飄忽在他的心裡，刹那間，又飄逝無蹤。於是，大巨怪在迷亂中，又去追殺火太陽了。

追、追、追，他追遠了；遠得即將失去蹤影。

稚盈彎著腰，捧著肚子，大口喘粗氣，遙望遠方，擔憂的說：「別追啦，阿光。不能這樣追下去啊！」

「等一下，阿光！」突然，以行一把拉住稚盈的手，拖著她，往前狂奔，追趕而去，還邊跑邊嚷著：「等一下——」

大巨怪煩悶地大罵：「小人！」

他煩躁地像頭狂牛般的跺足頓步，搖晃著欲墜的龐大身軀，猖狂迴轉頭身，睜著鼓碌碌的火紅眼珠，燃起熾熱眼波，射向那一雙莫名焦慮，慌亂抓握，突爆青筋，佈滿焦土汗漬的潮濕青春手掌；霎時，旱天驚出一記響雷，不知從何處，無端地射出一支冷酷無情的金鋼利矛，直直扎進熱血奔騰，怒火翻騰的腦海，攪亂暗黑墨潮，引爆酸醋海嘯，盤聚心頭，旋即成了即將噴發的活火山。

「蠢豬！」

大巨怪胸悶地喘粗氣，頹坐在赤煉火鞭劈倒的桃樹根上，猛冒悶燒的黑煙，散發炙人心肺，無比難聞的硫磺氣。終於，戰士筋疲力竭的追趕上，像極乾裂石像，噴冒著躁熱氣息的大巨怪。

稚盈無奈地看了看他後，硬從乾澀的喉頭，擠壓出低沉沙啞的聲音來。

「太陽光，能給人溫暖，給人生命力，給人希望。」

大巨怪一動也不動地，埋著頭，陰著死灰寒臉，硬駝起脆弱無力的崩塌龍骨背，塑成一座瘡痍石頭山。

「你還好嗎？」以行喘著粗氣，關心的話語中，藏著小心翼翼的防備。

大巨怪無動於衷，悶不吭聲。

旅人無奈。

「走吧！我們去找點水來喝。」

「走吧！」稚盈伸出微微抖顫的手，要攙扶阿光。

然而，僵硬的大巨怪，竟然，憤怒出手，凌厲一甩，狂瀉了莫名龐雜的憤恨醋勁，撼動旱天，襲擊時空。

「痛耶！」稚盈悶聲暗叫，本能地，縮身抱住痛楚烏青的臂膀，傷心地，什麼話也沒說，呆立原地。

猛然地，大巨怪有如地殼變動般，聳立而起，讓人驚慌不已！然後，他又氣呼呼地，折下一根桃樹枝，充當手杖，轉身又追趕火眼中的太陽了。

萬般無奈，以行溫柔地拉起傷心的稚盈，無力地說：「走吧！跟上他，看著他。」

「只能這樣啦！」

於是，戰士們，不離不棄，一路尾隨，追趕阿光。

大地枯乾，河流滿佈石礫灘，空中蒸騰白熱氣，稚盈感到頭昏眼花，疲累地無力前進，走不下去了。

旅伴心有餘，力不足了。

「不能這樣啊！」稚盈哀傷地輕責。

「我們不能這樣丟下他呀！」以行無奈至極的自我衝擊著，「或許，他心中有痛；或許，這是他自己的解決方法吧！」

稚盈遙望著滾滾黃沙，嘆了口長長的氣，忍不住追問著：

「阿光，你到底怎麼了？」

「難道，你瘋了嗎？」

「你真是要逼瘋人啊！」

萬般不捨下，以行終究下了決心。

「讓他去吧！」

06

戰士的真實願望

無論如何，時空旅程中，旅人的意識，會特別活潑，旅人的記憶，會特別活躍，不停地召喚；召喚著生活，召喚著幻影，召喚著渴望，召喚著未知，讓時空旅程，似乎偏離航道，似乎迷了航。

「嗯，一切還好，就這樣。」連梭長在旅人無知無感的平行時空裡，靜靜地，看著旅人漫遊在罵爾星球時空；自在地，看著罵爾星航程的實況，自言自語著。

不過，她只是看著，不介入航程的當下實況與未來發展。無論如何，時空旅程中，旅人的意識，會特別活潑，旅人的記憶，會特別活躍，不停地召喚；召喚著生活，召喚著幻影，召喚著渴望，召喚著未知，讓時空旅程，似乎偏離航道，似乎迷了航。

換句話說，有預設導航系統的時空旅程，會走出難以預期的航路，撞入無法預知的神奇之道。所以，關於時空旅程的真正航道，連梭長有時也模糊不清，更別提參與首航的旅人啦！

時空梭，以旅人的思想力，作為真正航道的依據，以旅人的願望，作為續航

力的調度火花。時空旅行的主角，從來就不是宇宙探發局，不是時空梭，不是導航系統，不是闞世英，不是連梭長，而是旅人自己。

每個旅人，才是時空旅行的真正主角。

旅程中，旅人的起心動念，不論無知無覺，或是了然知覺，都會攜帶念力，影響航程；每一個再渺小的願望，都會有它的願力，調度著時空旅行的大計畫；每一個再微細的意念波動，都會有它的波動能量，操弄著時空梭的具體航道。

然而，在密令的操弄下，戰士會在旅程中，無法止息的召喚願望。

願望，往往摻雜著微小，零碎，支離的殘破記憶幻影，躲在不見光的角落裡，蠢蠢欲動，隱隱串通，連結想像，揣度臆想，攜手諸多思維嘍囉，恣意穿梭幽徑，霸道橫行陰暗角落，苟延殘喘，活躍在思維記憶體裡，然後，在旅程中蹦跳，在人際間神出鬼沒，在世界上作威作福，或者發光發亮。

旅人啊，真的真的需要戒慎地分辨，一個又一個願望的真實性，還要有大勇氣，去面對願望追尋中的終極恐懼與至大困境，才能看清深切渴望的到底是什麼，才能實踐真實願望。

可是，困陷罵爾星的阿光，偏偏讓鬼影火，讓老舊殘破的記憶，一路串聯，一路發酵，一路延燒；延燒成火焰村，延燒成灼熱之痛。

他放任灼熱之痛，隱隱召喚；不論是一個眼神、一個火苗、一個聲音或一個意想不到的情境……，都能召喚出多餘的，缺失的，真的，假的，抹黑的，漂白的，有的沒的東西，添入殘存的記憶裡；然後，又執著於灼熱之痛，不自覺地，搧風添柴，加油添醋；然後，編織、嫁接、堆疊、影射、蔓生，若有似無的滲入意識，然後，出沒在話裡、心理、行動、夢想和夢魘中。

灼熱之痛，分分秒秒，穿梭人際互動中，無比頑強的，存活在阿光的時間中。

頑強的存活。

那灼痛的記憶，存活著拼湊過去、現在和未來，模糊成制式化的老唱盤，在腦海裡無知無覺，一遍又一遍，持續播放，流浪之歌。

走啊！走啊！走到遠方去流浪，流浪到遠方！

阿光無意識地，煎熬著苦味的流浪老藥頭；日日夜夜，一遍又一遍，哼哼唱唱，流浪之歌；他就挺有意識地，摯愛流浪之歌。

流浪之歌啊，因而挾持了他；他呀，就成為不得不流浪的大巨怪。

大巨怪，不得不去流浪。

＊＊＊＊＊

大巨怪，執意要流浪。

流浪的意念，隱隱操弄，緊緊攫住大巨怪，讓他的生活、夢想、夢魘和所有的一切，譜成流浪的主旋律。

浪蕩出漂泊的旅程。

太陽光在山頭一露臉，大巨怪立即驚醒過來，無法再安睡。然後，哈欠不打，二話不說，硬是撐開眼皮，握緊桃木手杖，不論天涯海角，不論死寂荒地，就是茫然地，快步追逐火太陽而去；死命地，走過蒼茫大地，萬里黃沙，翻越高山峻嶺，叩、叩、叩，追逐火太陽。

一路上，即使是藍天萬里的好風光，對大巨怪來說，硬是無雲、無風、無飛鳥；一路上，即使是靜好的綿延綠地，對大巨怪來說，硬是無花、無樹、無牛羊。

只有惹火的太陽。

太陽在海邊，投射柔和光芒，趕走灰濛雲氣，大巨怪就抄起手杖，追逐火太陽。一路上，太陽灑下金色光波，跳躍天際，擲下金黃霞光，穿梭雲層，織就銀藍霞光，七彩雲紗；可大巨怪，想都沒想，看都沒看，就叩、叩、叩，向著海邊追逐過去。

大巨怪狀似朦起眼，失了心，任憑密令的操作，任憑記憶的擺弄，一路直追而去，追入血在沸騰的壯年意識時空。

一路狂奔。

大巨怪看不見疊峰連翠，生機盎然的大地，四季更迭，日出日落的秩序；看不見高科技的突飛猛進，網際網路的四通八達和數不盡的太空垃圾；看不見四海波濤洶湧，各界英雄好漢輩出，人才濟濟；看不見末日的臨現，暗夜的騷動與宇宙的真實存在；就是緊握桃木手杖，叩、叩、叩，在罵爾星球，一路狂奔。

甚至，還高舉手杖，自我陶醉的大喊：「我的權杖——」

權杖，權杖，權杖……，在大巨怪的生命荒原裡，聲聲迴盪。

聲聲迴盪的音波，撼動了大巨怪虛漲狂妄的身軀，震驚了每個細胞裡無數量的小宇宙，聯動起強大的意識能量，衝盪起舊思路的老朽量能，迴旋出思維的小渦漩，逼問起大巨怪：「要權杖做什麼？」

「號令天下。」大巨怪豪情萬千，得意極了。

可是，那豪情萬千的獨白，很快地，消散在大巨怪空曠的生命荒原裡，消逝在罵爾星球上，徒留一路杖音，叩、叩、叩，無比單調的孤獨吟唱。

*****

時空旅程中，無意義的虛點，往往就是力量的實存處。

大巨怪的意念，仍高高懸掛著，惹火的太陽，仍懷著無止無盡的慾望，要追逐火太陽。

他仍執意，追逐火太陽，叩、叩、叩，敲響杖音，一路狂奔。

他張著赤眼，眺望遠方，太陽總是在前端，看也在，不看也在。只是，不知從何時開始，刺眼的太陽光波粒子，更是活潑的波動，波動，波擊上大巨怪虛漲的肌膚和身軀。

或者說，此時此刻，大巨怪了了分明的感受到，自己裡裡外外的身體時空與太陽的光波熱能間，有了極為活潑的粒子波動、交流與纏結。

然後，媽媽意外的閃現出來。

瞬間，大巨怪掉入童年意識時空，稚嫩的呼喚而出：「媽咪！」

可是，沒有任何回答。

他的耳裡，竟是，叩、叩、叩，響不停。

怪了，不是杖音嗎？

不，不像。

大巨怪豎直耳朵，認真地聆聽著，叩、叩、叩……

確實是媽媽；媽媽穿著高跟鞋，叩、叩、叩……

叩、叩、叩，衝向自己，衝向安親班，衝向客戶，衝向銀行，衝向市場，跑得團團轉。

「親愛的媽咪，您辛苦了！」

「媽咪，我會快快長大。」

「喔！媽媽，天黑了，妳怎麼還沒回家。」

「妳又遲到了！全班的媽媽，就只有妳，只有妳，老是遲到，害得老師，要留下來陪我。」

「要我一個人回家，幹嘛不早說！幹嘛現在才說！」

「真討厭，要我一個人回家，妳早說不就得了。」

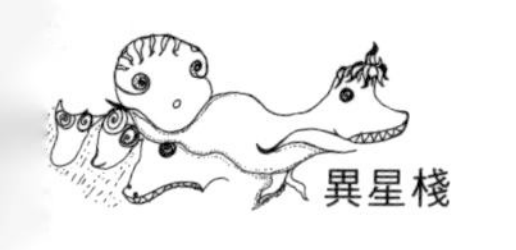

此時此刻，微駝著背，追趕火太陽的大巨怪，不禁發現，自己曾是多麼孤獨的肩挑著，一個個瑣碎的突發事件，多麼稚弱的扛掛著，一個個不堪負荷的沉重擔子。

因此，他自哀自憐起來。

叩、叩、叩，杖音持續響著。太陽光波粒子，仍激盪著大巨怪的意念渦漩，從無知無覺的意識底層，盪進了有所知覺的意識層面，在他的耳裡，凌亂地有了意想不到的聲音。

於是，他不得不自顧自地，聊起天來：「這些細瑣事，早就煙消雲散，過去啦！」

「才不咧！這個、那個，一直都在。」

「一直都在啊！所以，你一直揹著行囊啊！」

「我的行囊？」

「不是嗎？」

「不知道。」

「一定要揹著它們嗎？」

「不知道，我沒想過。」

「那麼，現在想一想，一定要揹嗎？」

「要啊，當然要。要不然，我一路揹著它，幹嘛？」

「要幹嘛？」

「它們是我的記憶。」

「記憶，是我啊！」

「記憶就是你？」

「啊，它們，是我？」

「記憶是我？是嗎？」

大巨怪愣了一下；剎那中，片刻的醒覺，衝擊著童年意識時空中的大巨怪。

「不該這樣而已啊！」

他稍稍挺起腰桿兒，喃喃自語著：

「誰啊？」

「是誰死抱著支離破碎的記憶，不放呢？」

他張著赤眼，看著空茫的四方，空無一人。

可是，當他眺望遠方時，太陽仍在前方；真是惹火的太陽，看也在，不看也在啊！

於是，他又叩、叩、叩，追逐火太陽去了！

*****

真是令人火大的罵爾星時空啊！

大巨怪越過千山萬水，踏過無數個月圓月缺路，死命的追趕火太陽，歲歲年年。然而，不管如何死命地追呀追，不管追過了多少日月時光，太陽總是在前方，看也在，不看也在。

無論如何，大巨怪和太陽光波，總是纏結在一起，雖然，絕大部分時空裡，他並不知曉，茫然的，無知無明。

可是，誰不是這樣呢？

有多少人能夠相信，身旁有著許許多多，無數無量的不存在的無的存在，或者，不存在的無的不存在的那種狀態呢？

無論如何，走過千山萬水的大巨怪的追逐腳步，變得軟弱無力，變得越來越慢了。

老了。

無論如何，大巨怪再怎麼執意追逐，終究逃不過時間的摧折與磨損；再怎麼眼盲心盲，終究會聽到自己的杖音，叩——、叩、叩——……，零零亂亂，有氣無力，敲響在堅實大地上。於是，他的思維意念，斷斷續續地閃現；似真似幻地，飄盪著：

「要緊握桃木手杖嗎？」

「不，大可放掉，不必追了。」

「不必追？」

「嗯，不必追了。」

「不，要追，一定要追。」

「一定要追嗎？」

頃刻間，似有一記閃電，哐啷巨響，在他的心頭，劈出一道裂縫，穿透出一片微光。

像似來自天堂的微光。

他突然打住腳，造成一陣突如其來的錯亂，踉踉蹌蹌，跌跌撞撞，差點跌倒。還好，他憑藉直覺使力，穩住手杖，倖免撲倒落地，摔斷一把老骨頭。

只是想不到，想不到啊！

他就在這一突如其來的折騰下，乾涸已久的意識心靈，竟然冒出話來，批判起自己來了。

「阿光啊，你是不是太傻了？這些年來，這是幹嘛呀！你能追上時光嗎？」

這一問，他驚動靈魂，駭住了。

瞬間，他的腦海，快速的倒帶穿梭，出現了乾黃稻種、嫩白芽、綠苗禾、黃金稻浪和低垂飽滿稻穗海，一切的一切，迅速的更迭、變化。

他看到了溪水不斷的流逝，一去不復返，稻種也在時光中，長大、成熟了。

他憶起了阿公、白鷺鷥、蝸牛和大牛等，都在時光中周旋、忙碌、變動、老去了。

於是，大巨怪似乎懂了；懂得雲淡風清也好，天雲變色也好；白晝來了，黑夜就不遠了；黑夜來了，白晝就不遠了。愁苦悲傷也好，恣意快活也好，有新葉的初長，就會有老葉的凋零啊！

然後，他又滿懷蒼傷，探問著：「哎，時光的輪子啊？怎麼轉啊轉不停？」

然而，就在大巨怪自我探問間，時光照常靜靜的，流逝，靜靜的，一句話也沒說。

火太陽仍高懸在赤眼中的青天，搖曳在遠方。

然而，大巨怪在老年意識時空中，那一個猖狂龐大虛假的身軀，早已被無聲無息的歲月，侵蝕銹透了。

他的意志，早已被消磨殆盡了。

他的氣勢，早已被折損的破敗不堪了。

在無聲無息的歲月消逝中，大巨怪植下一個又一個密令，毫不止息的逼迫阿光出走，出走，不斷的追逐，追逐，壓迫他深陷命運泥沼裡！

命運啊，狠心的高高盤旋在阿光看不見的陰暗之處，藉著一個又一個密令，玩弄起魔鬼的伎倆，幻現出一個又一個追逐夢，讓他叩、叩、叩，馬不停蹄的追逐火太陽，浪跡天涯。

去流浪。

無論如何，那些個大大小小，有的沒的，明裡來暗裡去的，萎縮虛漲的諸多

名堂，毫無例外的，從他的身軀、意識、夢想和力量中，毫不客氣地，一路掠奪下去。那些冠冕堂皇的假象，毫無遺落地，一路蹂躪，掏空一切，讓大巨怪幾乎殆盡無存，讓他的心頭，漂浮著一朵厚黑欲泣的雲。

可是，誰呢？

到底是誰，逼迫他，掠奪他了？

他能在此絕境中逃脫嗎？

他能親自終結命運嗎？

*****

天邊的火太陽，穿透層層雲彩，投射熾烈光芒，灼傷大巨怪的赤眼。

他痛得流淚。

模糊淚光中，那天邊的火太陽，劇烈波動起光波，竟然，一下子來到他的眼前，還彷彿有光，射進心中。

「天光啊！」

大巨怪無力抗拒，也無心反駁，就闔上鬆垮無力的眼皮，回想起過往的事事物物，審視起自己來了。

自我審視。

「叩、叩、叩，我追逐火太陽時，生命滴漏，是不是也一直掉落？」

「當然，無可倖免，一路掉落啊！」

「落、落、落，我掉落了多少光陰？」

「無從算起啊！」

「錯、錯、錯，我錯失了多少時間？錯失了多少可以看見的剎那？」

「錯就錯了，別再錯就是了。」

「難道，這都是我的錯？」

「你說呢？」

「似乎是我的錯，我的錯。」

可他馬上又波動起自艾自憐的情緒，悲從心來：「哎，這路可真長，真坎坷啊！」

他還得要紓解一下，悲嘆一下。

他總得找個替死鬼，發洩怨氣：「時間啊，你真無情。」

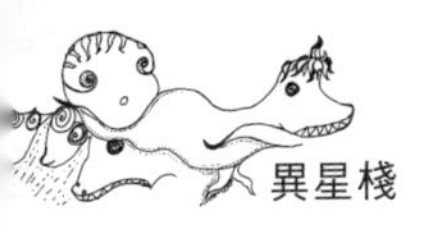

然而，時間就在他自艾自憐、悲嘆、找替死鬼，發洩怨氣中，毫不停歇地，流逝而去；靜靜的，沒有辯駁，沒有回答。

可是，這樣的時間，似乎又犯了大巨怪的禁忌，忤逆了大巨怪，惹毛了大巨怪。

「可惡，你何苦死死逼人，逼死人！」

不過，這到底是時間死死逼人，還是，大巨怪追逐死亡呢？

時間空蕩蕩的晃悠，什麼都不在乎。

至於，大巨怪呢？

這一路的荒唐追逐後，他似乎有點懂了。

可是，他卻無力再做些什麼，什麼都不想做了。

靜下心來。

靜心。

這時，從很遠很遠的地方，似乎傳過來綿綿不絕的關懷情意，低低呼喚著。

「阿光——」

「你還好嗎？」

大巨怪感到疲憊至極！
不過，他還是回首，尋找那牽動寂靜之心的極微細之聲。
可是，什麼都沒有。
累啊！
終究，他停歇下來，問了問自己。
「還能追多久，還能敲多少杖音？」
「不多啦！」
「快沒了。」
於是，他下了決定：「該回家了。」
然而，就在老年阿光體弱無力，波動起回家意念時，有個童稚的聲音，蹦跳出來攪和、嘲訕著：

時間去哪兒了？
嘿，嘿，嘿
抓不到啊抓不到。

時間去哪兒了？
嘻，嘻，嘻
找不到啊找不到。

時間去哪兒了？
哈，哈，哈
閒裡來啊忙裡去。

時間去哪兒了？
剎那剎那
為你存在啊存在。

「啊，我瞎了、盲了嗎？」
「我沒日沒夜，賣命的追逐，為了什麼？」

「時間只能追嗎？」

「難道，一直追，一直追，就是我的錯？」

「是我的錯。」

「都是我的錯啊！」

在意念的激烈波動下，大巨怪終於從滿懷的滄桑與感傷中，搓揉出認錯的勇氣，自我認錯了。這時，他似乎看到了垂柳依依，青石小道，水路迤邐，交織成一片如霧似煙的景致，而感到一絲安慰。

他迎著濕潤的風，空著心看著，看啊看，竟然，破天荒似的，直接槓上那個至高無上，冠冕堂皇，理所當然的密令，問起自己：「為什麼？」

「為什麼要追太陽？」

「那還要說嘛，當然是要射——，要射——」

「啊！荒唐，荒唐，我幹嘛來了？」

「我幹嘛苦苦折磨自己。」

「不管，就是要反抗。」

「反抗什麼？」

「這個、那個，所有的一切。」

「反抗得了嗎？」

「不管，我才不管咧！」

「你是不是太異想天開啦！」

「不管，我就是不管。」

「為什麼？」

「追了，才是活著。」

「想要活著啊！」

「屁話，當然想，誰不想呀！」

「所以，你要一直追，一直追，才能活嗎？」

「嗯，我要追，繼續追。」

「不嫌累嗎？」

「累啊，誰說不累？不過，我還是要追，要追，才能存活。」

大巨怪越說越微弱，無力無氣的波動著精疲力竭，幾乎要澈底崩潰的意識啦！

「追下去啊——。」

「這樣追下去，真的掌握到自己了嗎？」

「這——，我沒想過。」

「或者，你到底是在追，還是在逃呢？」

「難道，我是在逃？」這時，大巨怪察覺到有一股波動的心緒，擾亂著自己。

「難道，不是嗎？」

「難道，我總是在逃，逃開我自己嗎？」

「你說呢？」大巨怪發現自己是多麼的看不起自己，而把自己抛得遠遠的，欲想逃離那個自己輕賤的自己。

多麼輕賤自己啊！

打從深淵中，輕賤著自己。

他終於無力再辯解了。

「哎，哪能逃開自己？」

「永遠逃不了呀！」

他哀傷的眼泛淚光，無力無氣，直說：「傻啊！」

*****

可是，在那暗黑的罵爾星秘境裡，黑影遮掩在前，他怎麼想，就怎麼不對勁，只能深深的嘆口氣。

而且，一嘆了氣，想都沒想，又著了魔，無奈至極的，他又徘徊在秘境迷宮裡。

「哎！可惡的黑影魔。」

他無助又孤獨的咒罵一聲，像極平日的阿光會做的行徑一般。然後，又撒開步子，追逐火太陽了。

命定之輪，迴轉又迴轉，重複迴轉，轉不停。

叩、叩、叩，叩、叩、叩——

突然，久違的熟悉聲音，在叩、叩、叩的手杖迴音中，震盪過來。

「太陽的火熱，能給人熱情，給人生命力，給人希望啊！」

「稚盈呀！」阿光哀傷的低喚。

然後，他不禁揣想起以行可能會說：「希望是個好東西。」

可他的腦袋瓜裡，從來沒有這種想法；他壓根兒未曾這樣想過。突然，他凜然的顫了顫身子，重複說著：「好東西？」於是，他的思維力，岔開了固定思維模式，跨向不一樣的思考路徑了。

他順著思路，想下去，似乎聽到以行殷殷勸告：「希望是個好東西，要懷抱希望喔！」

「它能幹嘛？」

「它能讓人開開心心，帶來力量，走過悲傷，穿越過往邊界；希望啊，會給人智慧，重新思量現在，而掌握當下呀！」

「喔，以行，我的好夥伴。」阿光滿心孤寂，輕聲低喚著。於是，他接納了以行的思維方式與價值選擇，支持自己，去做了不同以往的選擇。

無論如何，他又動了動乾裂的雙唇，說：「我不會那麼傻，傻得逃離希望吧？！」

「沒錯，帶著恨意，背離了希望。」

「噢，我錯了。」

「大錯特錯啊！」

「可是，我到底希望什麼呢？」

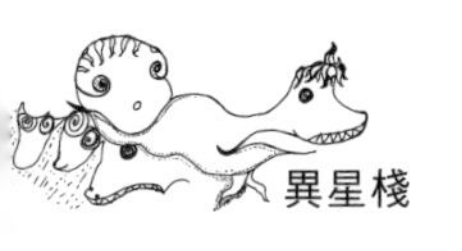

「什麼才是我真正的願望呢？」

大巨怪不再確定了。

*****

在阿光不斷編織，不斷逃避，卻又盲目的追尋一個又一個願望後，真正的願望，早已被遮掩，被模糊化了。他不禁垂著頭，回想過去，喃喃自語：「對不起！」

他真心懺悔著：「對不起，太陽。」

剎那間，那光乍現眼前，震撼著深深懺悔的心。然後，他就像大樹扎根般，定住了腳，久久不再移動。這時，疲憊不堪的身軀，才有了真正的休息。

過了好一會兒，那光竟又轉啊轉，呢喃著：

單純的，單純的聽，
聽那叩叩杖音與足音。
單純的，單純的看，
看那沿途風光和內心。

單純的，單純的聽，
單純的，單純的看，
平實把握，耗去光陰，
跑出生命真實樂音。

「什麼是真實呢？」
「我到底要什麼？」
他靜靜地回顧，思考，然後，福至心靈，下了一個絕然的決定。
山巔之日，不追了！
海邊之日，不追了！
可是，活潑的意識，剎時，又波動出更清晰的訊息來了。
他不禁張大嘴巴，「啊——」
然後，一切又翻轉了。
阿光為了真正的願望，為了一個決心想要的東西，又跑起來了。

真正的願望，引導著阿光，跑了起來，跑向一個它極想去的地方。

於是，阿光的雙腳，疲憊的一上一下，無力交換著；足音緩慢，甚至，有時迷糊著雜亂的節奏。

無論如何，真正的願望，要用它自己的力量，帶領著疲憊的雙腳，要去完成使命。

跑——儘管跑。

阿光的雙腳抖顫痠痛，卻無畏無懼地，一上一下移動著，單純自在的跑著。

跑——儘管跑，向著真正的願望跑去，跑向自我生命的山頭！

他跑在山徑、跑在原野、跑在海邊，跑在阿光的心路線上，揚飛起黃泥沙、磨蹭著枯草、碰觸著石礫的足音和杖音，譜出了一首隨機隨緣的變奏曲，迴盪在大自然宇宙間，也迴盪在阿光的心中。

啊，多麼從容、多麼豐富、多麼不可思議的奔跑與追尋呀！

*****

無論如何，阿光陶醉在願力的實踐中，陶醉在足音和杖音迴盪的天籟中，追逐著。然而，他的真正願力，絕不只是為了追逐，為了奔跑而已！

這時，意念本身，不斷地波動，自我盤旋，連結在真實願望的實踐，聚焦在真實願力的展現時，終於發揮了思想力的大力量，終於釋放出願力本身的真實力量，讓渙散，虛無，飄泊的能量波，越來越物質化，越來越具體化地，纏結在真實願望的欲想和夢境裡。

「阿光，你挺著，我們來救你了。」突然，阿光的背後，傳來以行的聲音。

他馬上回頭。

可是，沒有別人，只有阿光自己。

他微微一笑，又自在的跑向自我生命的山頭。

跑、跑、跑，阿光在那光中，滿足的微笑著，並且，不時地把身軀的重量，斜倚在桃木手杖上休息。不經意間，阿光感到有一股未曾有過的暖流，從手杖綿綿傳輸，進入手掌，流動在身體裡。

阿光低頭，注視著手杖，不知不覺地，就感念起手杖。

「謝謝你！謝謝你一路的支持與陪伴。」

然後，他坐了下來，側頭依著手杖，像入定僧人般出神。漸漸地，漸漸地，

阿光的心音，和著杖音，叩、叩、叩、叩，連聲作響。

叩、叩、叩，一路遼遶，一路彎延，紮紮實實，似乎在訴說著：

喔，這個山頭蠻蔥綠的。

這山谷的鳥鳴多熱鬧，花兒開得多璀燦美麗啊！

風捎來了白鴿的訊息啦！

你看，太陽在跟我們揮手，說再見囉！……

心音和杖音，綿綿敘說一個又一個故事，從過去的時間，點點滴滴，又來到了現在。

現在，那輪旭日，從暗黑的山頭，緩緩爬昇，漸露曙光。

阿光出神地凝視曙光，輕撫山頭；黛墨的山頭，緩緩地，披上青紗帳，然後，披覆上銀彩絲帶，綴飾著藍紫、黃澄、豔紅的寶石，剎那間，天際又披換了黃澄澄、紅豔豔的雲彩，喚醒一山的嘹亮曲音，然後，一片金黃，來到阿光眼前。

金黃的曙光，輕撫阿光。

阿光回神，對著曙光輕聲細語，無比溫柔的訴說著：「謝謝你，太陽。」

然後，不期然的，阿光思念起稚盈那頭有如浪波黑髮。並且，拉長脖子向後探看，熱切的找尋好友的蹤影。

*****

大地，在曙光的輕撫中，醒了過來；又安靜的沉溺，貪享著酣甜的睡意和晨露的溫潤。

阿光渴極了，感覺全身上上下下，正一寸一寸的枯竭，萎靡不振。他知道時間在倒數了；他的時間，所剩不多了。

叩、叩、叩，叩、叩、叩……

可是，為了真實的足音和杖音，阿光在晨光中，又向前跑了起來——跑、跑、跑，自在的微喘著；他跑著，跑著，似乎又是追著，追著一直跑的媽媽。

剎時，心，怦怦跳了起來。

他的意念，強烈的波動起來，思想力穿梭在記憶裡，飛快地奔馳。

「媽媽為什麼一直跑呢？」

「為了跑去拉回爸爸來不及過的時間嗎？」

「停！」

阿光攜帶著超強的警覺意識，命令自己。

可是，此時此刻，那個黑影，亟欲現身；那個衝動的意念，不斷的自我盤旋，召集思維嘍囉，不斷地纏結，欲想衝鋒陷陣，勢不可擋的欲想現身。

於是，大巨人阿光被萬馬奔騰般的思緒狙擊了！

「別來。」他抱著頭，直叫。

「別再來了！」他警醒著。

「不，絕不！我絕不再跳入大巨怪頑強的詛咒中了！」阿光鼓動超強意願，自我防堵，自我告誡著。

可沒多久，晨風拂過阿光乾渴不已的身軀，那根深蒂固的難斷念頭，又纏纏繞繞牽牽拖拖拉扯住阿光了！

還好，他的思維方式，在闖蕩了無數異時空，已經被過往經驗，一次次的逼迫、挑戰、錘鍊後，早就從舊思路出走，多了些許清明，多了些許不同選擇。

他不禁揣測起來：「爸爸當時有沒有想過——」

突然，他又有點猶豫的搖了搖頭，似乎想要藉著搖頭的動作，甩開心中的不安，可他馬上又下定決心，告訴自己：「不逃了。」

「逃不掉，就不逃了。」

「我不再逃了。」

沒想到，剎時淚水不停地，湧出眼眶，無聲無息地，滑過臉頰。

他在淚水的洗滌中，鼓起戰士般的勇氣，要迎面槓上那個一再衝動，隱隱作怪，根深蒂固的難斷念頭。

他任由淚水在臉頰滑落，成了兩條洶湧的淚河，漠視其他有的沒的資訊，一心一意的把思維力，聚焦在那個老是衝動的意念，老是自然連結的密令。然後，做了一個好大好長的深呼吸，讓空氣脹滿胸膛，提起勁，逼問起自己。

「爸爸想過嗎？」

「他想過時間會終止嗎？」

「爸爸想過，時間會出乎意料，突然終止嗎？」

他在執拗的一再自我逼問中，積累了更多勇氣，才直白道出：「他想過會死嗎？」

「他知道自己會死嗎？」

「他究竟知不知道自己要死？」他鼓動了至暗至黑的恐懼粒子，大聲地，吼嘯而出。

「不！」他憤怒否認。

「他不知道！」阿光極力遊說自己。然後，轉為些許哀傷，擺出吊兒啷噹樣，嘲諷自己：「哎，才不呢！他知道，他什麼都知道。」

「不會怎樣？」

「不，爸爸不會這樣。」

「不會——把我丟下來。」阿光掉入傷心的漩渦裡，沉淪了好一陣子。

他傷心極了。

「事實上，他離開了。」

「他不願離去啊！」他隱忍著滿腔怒氣，搓揉成哀傷的心境。

「不，他放下一切，走了。」

「不，他沒逃！」他難以接受的連連搖頭。然後，波動起理性的思維力，又自問：「那麼，是什麼呢？」

「他死了。」最後，他不得不哀傷的承認了。

沒想到，剎時他又反彈似的，波動起不明的抗拒情緒，百般哀怨地說出：「他丟下一切，走了。」

「不——」

「他不要我了。」阿光滿懷怒意，哀泣著。

阿光在滴滴答答的時間流中，意念激烈波動，風起雲湧般，翻過來，覆過去；這一句，那一句；一句是，一句非；問一句，答一句；不斷編織念頭，和自己爭辯不休；一次次短兵交接，爭戰交鋒，停不下來！

而且，來來去去的念頭，像鼓起滿身棘刺的刺蝟，虛漲身軀，像極平日般的阿光，不由自主地，停不下來！

停不下來！

突然，一個無比熟悉又陌生的聲音，來自記憶的迴廊，又像來自阿光的心底，響了起來，「嗨，阿光。」

爸爸，出現了。

啊！百折千轉、千呼萬喚的深切渴望呀！

剎那間，阿光的心，被威猛的震撼到了。

「阿光，我聽到了。」

可是，阿光面對這突如其來的震驚，一動也不動，腦袋一片空白。

「我聽到你的呼喚了。」

多麼難以置信啊！

他的所有思緒，像似被撼動的，全然震碎，無法思索；全然崩裂，無法連結。熱熱切切的深層渴望，似乎瞬間凍結；凍結成千年冰河，硬梆梆的，無力回應，竟連一聲爸爸，都無力叫喚。

「爸爸錯了，對不起！我錯了。」

阿光激動得全身顫抖，說不出話來。

「爸爸錯過了你的成長，錯失了你的一切，讓你孤單無助。你願意原諒我嗎？」

「不——」阿光急急忙忙，極力反彈般，嚷了出來。

「不——爸爸！」他沉重的邊搖頭邊說。然後，極度渴望地衝向爸爸，一邊伸出長長的手臂，一邊嚷著：「我想你，爸爸！」

他大大地，張開手臂，向著爸爸，撲身而去。

他欲想一把抱住爸爸，緊緊地，抱住爸爸。

可是，撲空了。

他穿過了爸爸的靈體，抱住了自己的臂膀。

驚愕感，陡然而生。然後，他直直的，落到爸爸意外死亡的事件漩渦中，哀傷不已！

可沒一會兒，他喃喃自語：「我的時空任務啊！」

他了了分明，這就是罵爾星時空旅程的紅光任務。

於是，他鼓動自我意志，鼓起大無畏的勇氣，心甘情願地，再一次被九雷轟頂般的噩耗淹沒，再一次經歷毀天滅地的恐怖末日，然後，哀慟地潛入暗影幢幢的黑森林。

「我要親手揪出你來。」戰士無聲地說著，然後，義無反顧的走入自我生命的黑森林。

黑森林看起來陰森森，沒完沒了，一大片一大片的長著。一顆顆暗黑種子，隨地迸發、散落，一碰到丁點汙泥，或濕苔，或稍可沾黏的任何情境，任何東西，就迅速發芽，抽長有毒葉片，滋生漫無節制的攀延藤蔓，繁衍出莫名其妙的纏繞

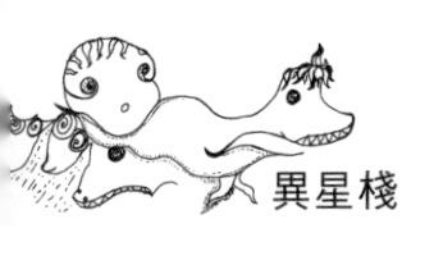

鬚根，長成大片大片沒有陽光的森林迷宮，成了一個令他窒息的毀滅大密室，讓他覺得一切烏有，什麼都沒了，完了。

「完了。」

他無聲的蠕動死白雙唇，而傷心，而哀泣，而憤怒，而執拗，而逃避，而赤目張狂，意念激烈波動不已。

剎時，在一切烏有的暗土裡，竟然閃現出一條熾烈火龍，穿梭飛行，向著阿光噴出憤怒炙火，荼毒周遭所有一切。

困境陡升，逼迫阿光，剎時回神，記起時空任務。

「啊，火龍，噴火的火龍來了。」

危險臨現，逼迫阿光，立馬應戰，再度成為時空戰士。

時空戰士，無從多想，只能無畏無懼，面對時空；時空戰士，無從多做，只能高舉手杖，迎戰火龍。

於是，人龍大戰，火光四射，驚險至極。火龍人身，攻擊，閃躲，撲殺，逃匿，你來我往，激烈異常。

可這瞬即萬變，無比緊張的戰事，又像似逼真戲擬的一場戰爭遊戲，是虛是實，是實抑是虛，幾番輪迴，慘烈地鬥過來，鬥過去，百般折騰，全身疲累，卻又毫髮無傷。

竟然，毫髮無傷。

然而，置身激烈戰事裡，阿光不敢掉以輕心。

他緊盯著詭譎局勢，思索著應變計策，緩了緩心神，定睛一瞧，不禁驚呼：

「天啊，難道，火龍是我？」

「我就是火龍？」

「難道，這一切的一切，只是我的無知，一而再，再而三，自我折磨，自找苦吃罷了。」

剎時，阿光懂了。

「我的天啊！」

「火龍，根本就是我的憤怒，是我的衝動意念而已！」

「是我，根本就是我自己啊！」阿光慘烈的說道。

「我，焚燒著憤恨，噴吐著忿恨，席捲著恨意，掠奪生靈，去報復被掠奪而去的憤怒、忿恨、惡毒、恨意、無助和空虛。」阿光清晰了然的批鬥自己的舊思路，

無力至極的懊惱著自己的無知與殘忍。

他打從心底，生發起自我醒覺的意識來了。

「我怎麼會這樣？」

「怎麼會這樣？」

「真是自作孽呀！」

於是，他更有自覺意識的，遊蕩在罵爾星球的死亡記憶時空裡，苦苦掙扎；掙扎著，要去搗碎，層層包覆的暗黑記憶；要去思辨，自以為是的狂妄行為；要去拆解，習以為常的糾葛迷障；然後，在自造的暗黑森林中，絲絲縷縷的注入微光，釋放出自我記憶牢獄裡的魂與魄，改變意識能量，放下一切，重新建構思維網絡。

一切放下。

*****

終於，阿光釋懷的找尋著：「爸爸，你還在嗎？」

「在，我就在這兒。」

「這一切都是我腦中的幻象，記憶的投影化身嗎？」阿光更是清明地問著。
「當然是幻象呀！」
「可這幻象，不僅巨大，還真真切切的存在啊！」
「是啊，我越是恐懼，存在心靈的幻象，就越逼真的不得了，越強壯的不得了，還會成了妖魔鬼怪，讓人錯以為真。」
「真磨人。」阿光無奈地垂下了頭。
「對不起，阿光。我不該丟下你，請原諒我。」
「爸爸，我愛你！」
「我也好愛你，阿光！爸爸愛你，永遠愛你啊！」
霎時，晶瑩的淚珠，又斷了線般，再次從阿光的眼眶裡，洶湧翻滾而出。
「傻啊，我真傻！」阿光放聲大哭起來。
「沒關係，沒關係。」爸爸輕撫著阿光的背脊，溫柔的說著。
阿光更是無天無地，毫無禁忌的號啕大哭，宣泄了夢魘中的一切……
「沒事了，一切沒事。」
「沒事？」

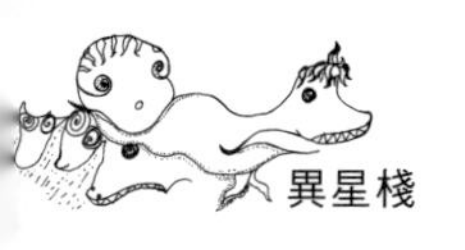

「孩子啊，生命中的事事物物，總是風風雨雨，變來變去，一派無常，沒什麼了不起。」

阿光懂了。

他終於懂了，「日常就是無常，無常就是日常啊！」

然而，懺悔的淚珠，像海嘯襲擊，來得既快且猛，淹沒一切，吞噬一切，讓阿光只能點著頭，表示「我知道。」

「要好好照顧自己，照顧媽媽，好好過日子，勇敢向前行喔！」

阿光連連點著頭。

「任何困難，終究會解決的。浩瀚星宇中，沒有飛越不過的罵爾星，沒有穿越不過的火燄莊，一個都沒有。」

一個都沒有。

爸爸的靈體影像，揮了揮手，漸漸離去。

「爸，不要走，不要離開我。」

「不，阿光，我從沒離開過；我一直都在，一直都在啊！」爸爸又回到阿光眼前，輕輕觸了觸他的心窩處，然後，才漸漸抽離遠去。

阿光手撫胸膛處，感到一絲冰冷的微痛感，喃喃自語著：「一直都在呀！」一直都在。

剎時，他感受到無驚無怖的愛，穿越時空而來。

他擁有了一種出死入生的輕盈和自在。

*****

偏西的太陽，在罵爾星球的山頭上，彩繪出飽滿的紅暈，把大巨人的影子，投照大地。大巨人頎長的影子，隨著夕陽的西沉，緩緩的邁向原野，越過河谷，走進樹林休息，潛入陰深的暗處……傾斜的杖影，微微顫動著，斜了又斜，一聲不響的，跟著越過河谷，也進入林子裡休息。

時間走到終極了。

大巨人阿光靜默地聆聽著。

他聆聽著寂靜之音。

春天的風，

拂過一片片嫩綠的葉片，
輕呼著一瓣瓣害羞的櫻花，
結伴起舞，粉紅蝶影翩翩。

夏天的風，
輕搖白雲在藍空中飄盪，
護送大老鷹，舉翅翱翔，
邀請鳥雀知了，在樹林間吟唱。

秋天的風，
穿巡稻田，塗抹金黃稻穗，
邀約楓葉，換上豔紅舞衣，
坐上南瓜馬車，歡慶嘉年華會。

冬天的風，

狂吼不動的白色山脊，
呼嘯鐵灰溪河與枯枝寒蟬，
馳奔萬里，讓一切瘖瘂沉寂。

大巨人不再跑了。

他在風的聖殿裡，找到了寧靜的存在，輕輕地，放開了手杖。

一切靜默無聲。

一片寂靜。

可是，就在桃木手杖，滑落大地的地方，卻回音似的叩、叩、叩，叩、叩、叩，從大地蹦了出來。隨著叩叩杖音，蹦出一棵棵新綠的桃樹，長出一大片桃樹林。而且，桃樹瞬間長大。桃花在微風中，輕輕揚飛舞動。

這時，甜膩的花香，竄進阿光的胸膛。粉紅花影，在陽光下浮動蕩漾，挑逗他的心。鳥兒啁啁啾啾，和風穿梭葉間，搖晃出一地圈圈圓圓的小太陽。阿光舉臂擴胸，做了一個好大的深呼吸，勇敢的破除了罵爾星暗影，破除了烈焰的鬼影火，穿越了死亡幻相，迎向希望。

他滿懷希望的，活了下來。

＊＊＊＊＊

稚盈輕搖出神的阿光。

「阿光，你沒事吧！」

「沒事，我沒事。」

他輕輕地，噓呼一口長長的氣。

「我得了太空幻想症嗎？」他喃喃自語後，意味深長的看了稚盈一眼。

怪啦！

這一眼，真怪。

剎時，稚盈有了青澀的幸福感，並且，忸怩的感覺到，有一絲害羞的窘迫，雜揉其間。

她轉了頭，移了目光，才問：「為什麼這樣說？」

「這笑與淚的歡聚，是虛擬夢像，令人回味不已；也是逼真實境，令人沉思不已！」

「阿光，你說的是人話嗎?!」以行吐槽著。

「連梭長回來了。」稚盈說。

「是啊，我回來了。因為，我是科學家，會理性觀察，也要追蹤實驗結果啊！」然後，梭長靜默思考了一會兒，說：「在這有情天地裡，時間總是無情、冷酷的存在著。人一生下來，總會遇見一些苦差事，讓人避不開、躲不掉，讓人無能為力。不論任何人，在無情的境遇中，難免會軟弱、痛苦，只是，別忘了，在我們的心中，永遠有光，那是愛與創造的火，那是自身生命的源頭。」

這回，阿光對於連梭長的長篇大論，沒有絲毫的不耐，竟然還說：「我的內心中，一直存在著黑暗與光明。至於，我的世界，是我選擇來的。我的想法，成就了我的世界。」

天啊！

阿光說禪呀！

可他那神情和語氣，是靜定的懂得。

那樣子，讓以行和稚盈，感到難以置信的陌生。

「在虛擬實境中，每一個故事都是特別的，而且，還會隱藏著一條看不見的線，化成各自的機緣，在生活中示現出來。不過，故事就是故事。每個生命，都是獨特且可貴。所以，人啊，要打開心胸，去關照各自的機緣變化，去實踐自己存在的意義。人啊！一定要相信愛，並接受指引。需要放下時，就放下，好好活著，向前行。抱持希望去追尋，真正的用生命去付出；生命就會有不同的視野和厚度！」

阿光頻頻點頭，領受著連梭長的諄諄教誨。

墟冥思星戰役

出征的英雌，虛弱的全身發冷，抖個不停。

她危顫顫的吊一口真氣，虛弱的即將被攻陷，即將葬身未知的冥域，徒留一堆屍身白骨在墟冥思星了！

時空梭，設定在自動駕駛狀態，平穩地依循預設導航，向著遙遠的墟冥思星前進。旅人有了一段深沉的睡眠與真正的休息。

然而，旅程總是變化多端，難以預料；計畫總是趕不上變化。突然，偵測系統，亮起紅燈，警報大響；壓力表上的數據出現異常，推進器亂射，氣流劇烈擾動，時空梭不由自主地，飛入太空電離層，失控了。

「小心！」

「太空海嘯！」

時空梭，天旋地轉中；阿光毫無預警的反胃，吐出了酸水，飛濺成一顆土黃的大球；梭內飄浮著令人不悅的味道……

一陣劇烈顛簸後，時空梭衝破時空屏障，瞬間失了重力，極速垂降。

「啊——拉高。」

「拉高，快呀！別撞上大山脊。」

「別，別撞上啊！」

萬分僥倖，時空梭擦身而過大山脊。

瞬間，竟是廣大無邊的黃土大草原。

風高草長中，似乎在傳播著一則則傳說，……

然後，一片荒漠，飛沙滾滾，站立著奇特的植物。有的一簇簇高聳入天；有的葉子厚厚肥肥的，像是一條條青色大蠕蟲；有的長著團團白細毛，有的開著豔麗紅花、絢爛奪目的紫花，綻放著強韌碩壯的生命力。

然後，綿延千里的丘陵地，壯闊的河水，萬里奔馳流不停……

一切的一切，變化迅速，目不暇給。

「你們看！青龍，青龍盤旋藍天。」以行喊叫著。然而，話音一落，青龍就見首不見尾，整個沒入雲層裡。

「這裡是哪裡啊？」

「這是什麼時空呢？」

旅人困惑著。

困惑著——

然後，他們就意識到，已迫降在遼闊的大地上了。

*****

在遼闊的大地，旅人們輕鬆地漫步著，欣賞碧綠的湖水，倒映著萬紫千紅的野花，飄浮著層疊的雲彩。放眼望去，綠油油的草原上，有一隻白虎在追逐羊群和牛隻。松林間，棲息著成群的白鶴，朱雀獨站枝頭。沒多久，耳邊又傳來猿猴的吼叫聲……千萬條鯉魚，泛著橘光紅霞，在溪流間戲游，水波恣意的在石頭邊飛濺、迴漩……突然，耳中轟隆轟隆的聲音，越來越響，氣勢磅礡，撼動心靈，一條水龍懸空，俯衝而下，嘩啦啦的水聲，響徹雲霄。

頃刻間，黃霧漫天，髮梢眉梢、臂上的汗毛，竟掛著水珠欲滴，然後，滾滾河水，迅速向著望不到底的遠方，瘋狂奔騰而去。

這造化的奇景，讓阿光瞧得目瞪口呆，跌坐濕泥，仍用手掌緊緊按住狂跳不已的心臟，張大口叫著：「天啊！」

稚盈只覺水珠如大雨直下般，濺了頭臉一身，隱隱生疼。

在慌亂失神中，以行緊盯著飛奔而去的逝水，難以置信的全身顫慄著某種大破壞的神力脅迫感。

好不容易的，旅人們回過了神，定睛瞧個清楚。

「嘿──那是什麼？」

以行來不及把話說完，就朝大水飛奔的方向，跑去；阿光、稚盈也隨後奔馳而去。

而在旅人的跑動中，綠地無限綿延，大水不再瘋狂；滾滾黃水，溫馴的回到河道中，淙淙流淌著旺盛的生命力。

青青河畔，綿綿延延。

河畔上，植種著新芽垂柳和紅、橙、黃、棕等繽紛艷麗的不知名樹，像是初春與遲秋攜手連袂拜訪的時空。

河畔有位絕美高大的女神，衣帶輕輕翻飄，款款移步；長長的黑髮，綴著無數星子碎鑽，閃爍著迷人光采。

她緩緩移動在新綠與富饒大地間，猶如游離的日光金輝或月光銀輝，柔美的輕撫萬物，一舉手、一投足，淡定自如，靜美祥和。

稚盈全然的陶醉，不知不覺的讚嘆一聲：「好美喔！」然後，隱隱約約地，她似乎知曉了墟冥思星旅程的模糊路線，她似乎知曉了時空旅行的綠光任務了。

*****

梧桐樹下，有隻鳳凰在散步。

女神緩步輕移，和鳳凰閒情愜意般的聊天，然後，臨水彎腰，捧起黃泥土，和了和水，捏啊捏，捏出一個個小人兒，還自言自語著：「小人兒，好個樣，跑跑跳跳，好模樣。」

然後，她把一個個小人兒，捧起來吹氣。

「女媧吹入神的氣息。」

「空靈之氣啊！」

稚盈目眩神移的呢喃著。

然後，小人兒的笑聲，就遍佈在每一個有水流過的地方，跳躍在樹林、原野間。女媧充滿愛意的看著小人兒，心滿意足。

「盡情享受吧！孩子們。」

稚盈感受到一種自己跳離自己的輕盈感，浸淫在女媧造人的創意秀中，流露出不可思議的驚喜，讚嘆著生命的根本就是心物合一，就是質能交融，就是渾然一體啊！

她靜定地靈視。

她凝視著女媧，似有若無，輕輕揮點，創造輕快美妙的生命樂章，唧唧吱吱、咕嚕咕嚕、滴哩浠瀝……一切的一切，清晰了然的示現著，無形含蘊有形萬物的本質，無形運化了有形現象，無形創生有形世界的所有一切。

真的是無生萬有啊！

她在全然凝視中，彷彿化身為大地的一抹綠光，游離在女神身旁、河中、林裡、樹間和深深的大地裡，進而成了那光、那木、那水、那風、那土和那地……，更是那地心中的火源和氣脈波動。

她捕捉到肉體細胞裡，每一個微細的抽動，每一個剎那的悸動；她覺察到腦海裡，每個極微細意念的波動。

突然，心，被針猛扎一下。

那一下，一閃而逝，卻痛徹心扉。

那一下，像是尖銳的石英子，猛力痛擊稚嫩肉心，難以招架，痛得要人命，害她剎時掉入某種被廢棄的荒墟冥城，被遺忘的記憶時空。

她察覺到身體波動的訊息，像似被遺棄在亂石堆疊，嶙峋荒蕪的廢墟裡，自生自滅的無奈與悲淒。

「那是什麼？」時空戰士，勇敢提問。

沒想到，她這麼一問，竟然問出了熟悉的感覺。因為，她的潛意識，本來就知道，本來就知曉一切；然後，意識強烈波動起來。

「記憶種子嗎？」

「是。」

頃刻間，她的意識，連結到無所不知的潛意識，聯動起大能量，醒了過來。

她甦醒在女媧充滿愛和滿足的笑意裡。

「媽咪！」

稚盈開心的覺察著，女媧的笑意裡，蕩漾著媽媽的笑；媽媽的笑裡，映著一幅美麗的畫。那幅畫中，才丁點大的稚盈，正躺在媽咪的懷裡，滿足的吮吮著來

自媽媽源源不絕的愛和奶水。

「好癢、好癢啊！」女娃咯咯的笑著，笑得嗆了滿嘴的奶泡。

哦，爸爸溫暖的手指頭，正搔著小腳丫，鬧得女娃在媽媽的懷裡笑咯咯，顫動著幸福的喜悅，咯咯咯……

*****

可是，一轉眼，銀鈴的笑聲稀疏了！

在稀疏的笑聲裡，還錯落著幾聲不和諧的調子。

「那是什麼？」

女娃的耳朵，忽聽得「叮──」一聲輕響。

她的每個細胞，立即嚴謹尖銳地防衛起來。

她機靈地，揀拾著破碎的聲音、零亂的話語。

漸漸地，漸漸地，女娃跑動起來。

小小的身軀，跑去躲在暗黑的衣櫃裡，雙手緊搗耳朵。

「黑！我怕黑。」

女娃無聲哭泣著。

可是，刺耳的聲音，仍穿牆而來。

「滾，你滾！」

「拜託，別這樣。」

「你——走！現在就走。」

「不，明天再說。」

「明天沒了！沒有明天！」

完了！

全完了！

*****

稚盈緊閉雙眼，埋入一片闃黑的洞裡，無法動彈，無法言語。

在一片闃黑中，稚盈的眼底，藏有一對鬼魅暗影，混亂拉扯、劇烈翻攪，然後，

銀灰的超大視頻，霎時，幻現出來。

超大視頻上，紅光劍、藍光劍，連番刺殺，驚得她全身顫慄，嚇得她目瞪口呆。

紅光劍，隱藏著來自地獄的萬年怒火，瘋狂刺擊。

天啊！

那紅光劍，豈只是紅光劍！

瘋狂刺擊的紅光劍，竟是火紅大巨魔揮擊的魔掌小指尖而已！

藍光劍，滲透出來自極地的萬年冰寒之氣，凌厲舞動。

天啊！

那藍光劍，豈只是藍光劍！

凌厲揮舞的藍光劍，竟是水藍大巨魔揮動的魔掌小指尖而已！

這是火魔和水魔的生死廝殺，是地獄火和極地冰的終極對決。

火魔引燃地獄火，殺紅了眼。

火魔舞弄巨大魔掌，輪番發射地獄火，猛烈攻擊，就像火山爆發，傾瀉熾熱熔岩，噴射有毒氣體。

水魔掘挖封存冰凍的萬年寒氣，眼露兇殘藍光，魔幻水氣，成為無剛不催的利刃，砍殺無赦。

這下子，風雲變色，混戰越來越激烈，波及的災害，越來越廣。

天上人間，萬有一切，無一能倖免逃避、免於災難。

瘋狂火魔，鼓動一發發致命性火燎，瘋狂肆虐一切萬有。

女媧氣呼呼，大喊著，「停！」

沒想到，女媧話語中的呼呼怒氣，竟化成強風，助長地獄火舌，蔓延飛舞！

瘋狂水魔，催動毀滅性水攻，衝垮了橋樑，淹沒了家園、吞噬大地和天庭。

女媧氣得落下傷心淚，大喊著：「停！」

沒想到，女媧的傷心淚，竟釀成惡水，助長了水災的澎湃蔓延！

烈火惡水，根本停不了。

停不了！

烈火惡水，瘋狂的你來我往，交鋒惡戰不已！

惡水烈火，短兵交接，衝撞成濃得化不開的濕霧，擴散成天羅地網，網住愁雲天庭，網住人間大地，瀰漫著濃濃的恨意，化現出一座暗無天日的煉獄。

狂怒的水魔，被瘋狂的衝動意念，死死地攫住，喪失理智，未經深思熟慮，就扭頭猛力一撞，哐噹一聲，天破了大洞，造下了一場意想不到的天大災禍，釀下了毀天滅地的孽境。

「別鬧！」

「你們兩個，別鬧了！」

「別鬧了！」

女媧的聲音，遙遠地穿過喪心瘋狂的火山水牆，無力的蠕動、迴繞著。

稚盈嚇呆了！

濕霧翻騰，游離在闃黑時空，恨意也迷亂、游離在女娃心中。

喔，不──在濕霧薄弱處，映現著一圈搖晃的銀色天輝。

「那是什麼？」稚盈直視那一圈似有若無的銀色天輝，問著。

那天輝似乎在她的眼底，搖晃著某種希望。

*****

稚盈直視著闃黑時空，而那濕霧翻騰、搖晃的闃黑，也直視著她。

她的身體時空中，充塞著闃黑的暗質暗能；闃黑的暗質暗能，充塞在她的每個細胞裡。

她陷在闃黑時空中，發現了烈火惡水最稠密的濃霧迷離處，有個模糊的厲害的暗影子，魅惑著她的眼。

可她根本懶得去看，不想理它。

暗影子，好像一朵舞動的花朵，一陣噴發的旋風，一頭欺身而來的獵豹，毫不氣餒的使出渾身招數，企圖魅惑她的心，稚盈莫名其妙的感到全身乏力，隨隨便便地找個藉口，告訴自己，我累了，搪塞自己，眼花啦！

可那暗影子，卻又了了分明，清晰的不得了——

可是，怎麼可能？

怎麼可能呢？

在那暗影中，竟然，重疊著爸媽爭吵的影像！

她自我衝突著。

她苦苦抗拒著。

然後，不期然的，她遁入久違的童年意識時空中。時空裡，有一種孰悉的感覺，穿牆而來。

「喔，不要；不要！」

她痛苦的搖頭，手摀耳朵。

可那東西攜帶著無比沉重的無形震波，頑強不已的滲透波動，從臥室震盪出來，淹沒了客廳，蔓延到廚房，充塞在家屋裡的每個角落，每個物件，如積木、洋娃娃、音樂盒、玩具汽車、娃娃家、小床、杯子、流理臺、皮沙發、雜誌、衣櫥、窗簾、水晶杯、相框、餐桌、磁磚、電視機等，還有大大的「平安」吊飾的意識體中。然後，還有尖銳的叫吼聲，憤怒的咒罵聲，猖狂惡毒的算計，尖酸刻薄的謀略，瘋狂的攻擊行為，膽戰心驚的防禦……，諸多意識體，激烈癲狂的波動著。

一切，遭受無妄波擊。

然後，一聲尖銳且清脆的碎裂聲，響徹屋宇，水晶杯裂碎，碗櫃崩跌，碗碟破碎，鍋蓋飛射而出；十米長的落地窗簾，夾帶著橫桿子和銅釦環，倏忽旋飛而起，猛烈的衝撞玻璃，尖銳聲響，爆裂成鋒利的碎片刀刃；瞬間傳出痛苦的嚎啕……

在火光惡水的暗影裡，漣漪般無限遞傳，讓稚盈有一種溺水即將沒頂的恐懼，讓稚盈有一種掉進黑洞漩渦中的絕望。

天啊！

那巨大的暗影，扭打翻滾，蘊藏著滾燙熾熱、龐大無比的暗黑能量。

那是蓄勢爆發的活火山，更是一股無法預知的暗黑恨潮，辛辣地，挾持了稚盈的心；尖銳的，刺捅著悲傷的稚盈。

*****

稚盈悲傷、絕望的直視濃濃迷霧，感覺像似看著幽冥中升騰的霾氣，吞含著一聲長長的喑啞嘆息。

她深切渴望的凝神，直視。

突然，眼前湧現更沉重的暗黑大量能，浮現一團未曾泯滅的未知意識，翻滾著微弱光影，搖曳暗黑突兀的火光，映照出充滿悲憫與悲傷的女媧，浮浮沉沉在那團不明意識中，如如不動著。

「別鬧！你們兩個，別鬧了！」

沉重的聲音波動，清晰地在近處蠕動、迴繞；迴繞、蠕動在稚盈凝濁暗黑的心底；緩緩地，翻攪波動在深淵中。

那聲音，來自女媧？

還是，來自女娃？

就在這時，稚盈聽到極為細微卻無比清脆的引爆聲。

「啵——」

她被震得一身痲痺，然後，嘔心翻胃，暈眩不已。

她感到氣餒不已的茫然。

她全然的無知感。

可她在茫然無知，視而不見中，卻又像進行著是一種防禦工事的拆解。

拆解中，她聽到了一串細碎的崩裂聲，伴隨著「沒有明天、沒有明天、沒有明天」的語音，不斷迴盪。

迴盪。

她的心頭，縈繞起濃濃思念。

可這濃濃思念，又不斷幻化，成了苦苦哀求，成了虔誠祈禱，成了躲避，成了恐懼，成了生氣，成了怪罪……她在不斷幻化的面具裡，迷失又迷失；在濃濃的思念中，沉淪又沉淪。

終於，她清晰的聽到了來自心底的聲音，「不要——」

「媽媽，別走，不要走！」

「乖，別哭！稚盈，別哭。」

媽媽返身，緊緊的抱住稚盈。

媽媽把她抱得緊緊的，呼吸急促。

稚盈感到快要窒息般的難受，難以呼吸。

然後，媽媽鬆手，起身，頭也不回的走了！

就這樣，走了！

她被留下來。

她無能無力，什麼事也做不了。

哭。

只能哭。

她，哭了好久好久；哭累了，就睡；睡醒了，又哭。

她哭哭睡睡，睡睡醒醒。

她拚著命，逼迫自己，一直睡下去，一路睡到底。

死死的一路睡到底。

睡著去躲開被丟下來，沒有爸爸，沒有媽媽，寄人籬下的事實。

睡著去逃避回不了家的現實。

她拚著命，躲進睡夢中，假裝自己還跟媽媽在一起唱歌，牽手睡覺。

她哭哭睡睡，眼淚不由自主地，掉個不停。

淚光中，她看見一團白銀絲，晃啊晃，晃啊晃，晃不停。

那團白銀絲，從過去而來，千方百計，就是要稚盈止住淚水，回一回神。

稚盈淚眼汪汪的探視著：「那是什麼？」

那團白銀絲要引領稚盈，回顧起遠遠消逝的那一端，又要催化她，遐思起未來的這一頭。

她哽咽地問著：「它是什麼？」

她抱著漲痛的頭，問著：「誰？」

「你是誰呀？」

「你到底是誰呀？」

突然，充滿無奈的聲音，傳了過來。

「乖孫囝，甭哭啦！」

沒想到，稚盈卻放聲嚎哭了起來。

「心肝寶貝，麥擱哭啦！阿嬤甲你惜惜，麥擱嗷嗷嚎啦！」

那團白銀絲，似乎從模糊的眼眶裡，湧出一顆顆淚珠，淌成不斷的淚河，持續叨叨唸唸著：「一人孼一命，無人同款命。來，阿嬤甲妳摟緊緊，甲妳惜命命，麥擱哭啦！」

稚盈想起來了。

她終於想起來了。

那團白銀絲，就是外婆的米粉頭。

阿嬤抬起爆青筋的雙手，擤了擤鼻涕；然後，又用佈滿老人斑的乾皺手背，抹了抹縱橫老淚，無奈至極的說著：「甭哭，麥擱哭啦！」

可稚盈的淚河，剎時崩堤，瘋狂地，氾濫開來。

「不要！我要媽媽。」

「媽媽，真快就返轉回來。稚盈，乖；阿嬤甲你惜惜。你愛乖喔！」

「不要，不要，不要。」

「我要媽媽。」

稚盈越叫越無力；腦中的意識，不斷地迴盪著：「我被丟下了！」

被丟下了；這念頭，讓稚盈有了思念、有了害怕、有了怨恨、有了期待、有了迷茫、有了孤寂、有了氣憤……

這難消無解的糾葛情緒啊，讓她失去了所有的力氣。

她莫可奈何的哭著；迷迷糊糊的哭哭睡睡，抽泣著，睡著了。

她睡在一個暗黑的帳子裡好久好久，時間緩慢的幾乎停滯了。

她睡入了無生趣的夢鄉裡，醒不過來。

她滯留在暗黑的睡夢時空，把不解的念頭、難消的怨恨隔離起來，任由它們在密閉隔離的記憶時空中，胡亂的作怪。然後，丟棄在腦海的陰深海溝底，藉由深海的沙礫層層覆蓋，遮掩住任何絲絲縷縷的毫光，再用死鹹的海水，把層層覆蓋的砂礫，緊緊的連結、擠壓、扭曲、包覆、捶擊……化成一顆堅硬難摧的記憶石，封印了記憶，深藏在幽森的意識底層。

澈澈底底的隔絕。

然後，忘記一切！

*****

但是，這是一個道道地地的時空旅程呀！

旅人必定翻轉了無數的思維時空，闖蕩了無數的異次元，淬鍊出如鋼勇氣，打磨出真實意願和磐石信仰，才能順利坐上時空梭。

然後，咻——

步上詭譎的旅程，跌撞到深深掩埋藏匿的自我記憶時空，涉入早已忘記的陰森冥域。

而且，一步一腳印，戰士的腦袋瓜裡，早就在時空旅程的行前培訓裡，置入先備資訊，存有絕對的清晰意識，「走上回家之路，才能回到家。」

走上回家之路，才能回到家。

於是，稚盈鼓起勇氣，對自己喊話：

「我是時空戰士。」

「要記起來。」

「我就是要記起來。」

「我，打死不退。」

她自我激勵，鼓漲起無比勇氣，就是要勇闖墟冥思星球，完成時空任務。

可是，未竟的旅程，將會是何樣時空，等著旅人去面對，去穿越呢？一切是謎。

*****

稚盈既然踏上墟冥思星旅程，不管要不要，想不想，只能前行。雖然，那兒無比闃黑，無比死寂，沒有一絲絲風的流動，沒有一絲絲溫度，是荒蕪人煙的絕境，她仍然要聚精會神，要勇猛闖蕩，涉入自我的陰森冥域。這就是綠光任務，就是使命，無法遁逃。

然而，茫然地，她不知該往哪兒去？

可直覺告訴她，千萬要留心腳步，不能停駐。這時，她感到暗潮洶湧，含糊不清的胸口，有一種鬱積許久，不得釋放的壓迫，讓她喘不過氣來。逼迫，隱隱而來，害她落入涼颼颼的迷魂陣仗裡。

突然，她大感不妙，危險來啦！

「啊，繩索般的長爪子，憑空飛了過來。」

「長長的爪足，進攻來了。」長長的爪足，從意想不到的方向，向著稚盈圍攻過來了。

「什麼鬼東西？」稚盈連連後退，突然驚心大叫而出：「千年海妖！」

然後，毫無退路的聽聞到：「纏住她。」

「繞過去，縛住她。」

「幹嘛呀，你們，可惡！」

她被迫退無可退，只好正面迎敵。

可是，無情冷漠的聲音，團團圍繞，轟轟然。

「別管，照捆無誤。」

「這邊，那邊，照樣死死捆住她。」

「別纏我，死東西。」

「別再纏我啦！」

「緊緊纏繞縛捆，勒死她。」

「放開我，我快不能呼吸了。」

「別管她。千千萬萬個爪足吸盤啊，醒來，立刻醒過來，吸住，盤附，緊緊盤附，然後，擠——鳩——，注射毒液。」

「放開我，放開我。」稚盈嚇得歇斯底里，伸手猛抓，舉腳亂踢，胡亂扭曲身軀，卻發不出任何微弱音絲。

千年海妖千方百計，就是要困住她，攔截她，癱瘓她，讓她哪兒都去不了！

稚盈哪兒也去不了。

頹然地，她只能垂首，癱軟於地好一會兒。然後，危顫顫地，在心口吊住一口真氣，吐出難以察覺的虛弱氣息，說著：「我要出征。」

可是，即便如此，全身的每個細胞，都聽到了她的呢喃。因此，她自己給了自己力量，又說：「我得出征，為自己出征。」

稚盈的微弱氣息，迴盪在億億萬萬個細胞中，迴盪成一清二楚的自我宣示。

「我要出征。」

「我得為自己出征。」

她在迴盪的自我宣示聲中，拖拉著越來越鬆弛無力的海妖長足，踽踽獨行。

她踽踽獨行在窩藏著千年海妖的暗海陰溝裡，勇敢的面對詭譎萬變、陰森幽暗的迷魂陣仗，穿越迷魂陣仗。然後，護住最後一絲精氣神，勇猛地深潛、再深潛幽森的潛意識海。

她匍匐前行在盤踞著萬年巨怪的潛意識底層；穿越、再穿越，瀰漫著毒氣和暗黑質素的未知冥域。

然而，萬年巨怪盤據的老窩巢，越來越陰冷，詭譎地，隱沒了所有的生命氣息，見不到一絲絲光。

黑暗勢力，全面埋伏；黑暗質素，無所不在，無處不滲；她的肉體、內臟、細胞基因核、至微至細的意念粒子裡，無一能倖免。

出征的英雌，虛弱的全身發冷，抖個不停。

她危顫顫的吊一口真氣，虛弱的即將被攻陷，即將葬身未知的冥域，徒留一堆屍身白骨在墟冥思星了！

她孑然一身，快被吞沒了！

她就要斷氣了。

為什麼呢？

因為，原來的她，不願束手就擒；老靈魂，不願乖乖就範；在要耗盡最後一絲絲氣息，援斷糧盡的窘境裡，頑強地苟延殘喘著，支離破碎的，殘活下來。

而且，在她危顫顫懸吊一口真氣時，回家的意志，也薄弱虛化中。

幾乎要虛化為無了。

於是，原來那個喜歡和友伴混日子，有情有義、有條理的老大，活了起來了；原來那個乖巧聽話，又會甩小脾氣，愛哭、愛鬧的她，活了起來了；原來那個帶著童心稚情，卻又不知不覺中，懷著恨意、不耐，排斥著阿姨和弟妹的她，活了起來了；原來那個看似獨立，卻又非常戀家的她，活了起來了。

而且，原來的她，仗著逐漸壯大的黑暗勢力的撐護與餵養，窩藏在幽深闃黑的老窩巢裡療傷、休養生息，同時，也隱隱的操弄陰險手段，毫不間斷的使壞作怪，還虛張聲勢，張牙舞爪的威脅、恫嚇了起來。

「停！」

「妳，馬上停下來。」

「禁地止步。」

「妳聽到沒，那是禁地。不准再跨一步。」

「誤闖禁地，橫死無疑。」

可虛弱如游絲的稚盈，不聽不聞，無知無覺的，前進。

她堅定無比地，向著無解之謎、陰森禁地，前進。

「我要回家。」意念無意識地波動著。

我要回家，我要回家……

*****

她渾然無知，一步一步的行走在闃黑禁地。

這時，黑暗勢力，幻化出極度乾冷的冰寒之氣，凜冽的滲入了她的肺、她的血管、她的腦海裡，斷絕神經元的傳導，阻斷思維運作，割裂情緒傳輸，她越來越鈍化了。

越來越鈍化了。

可生命的意志，是最不可解的元素，老舊心智體，不願輕易束手就擒。

原來的她，仍幻化千面，試圖偽裝，鞏固墟冥思星至黑至暗的核心基地，掌控密閉幽冥的老窩巢，繼續指揮，使壞作怪。

「小心！」

「孩子啊！回頭吧！」

「你正在自掘墳墓啊！」

「稚盈，注意啊！妳正一步步的走向危險禁地喔！」

「別再走了，那兒窩藏著嚇人的妖魔鬼怪呀！」

「孩子，停下來，快停下來啊！」

「該回頭了。」

「回頭。」

可是，旅人啊！

絕對不可掉以輕心。

這時，原來的她，仍窩藏在有如銅牆鐵壁般的老舊思想觀念體裡面，穩穩地，輪轉著命運之舵，張揚著地獄黑帆，偽裝成千千萬萬個假面、億萬個小毛賊、小嘍囉來操弄時空行者。

這時，無比虛弱的老靈魂，仍坐鎮在滿佈暗黑質素的老窩巢裡，穩穩地，掌控著黑暗勢力，神不知、鬼不覺的耍弄著昏盲意識，把玩千萬次的陳腐舊伎倆，幻化出千萬個換湯不換藥的精練老策略，耍弄時空戰士。

*****

於是，稚盈失魂落魄地，漫遊在墟冥思星的陰森迷宮裡。

「走上回家之路，才能回家。」

她步步艱辛，跌跌撞撞地，穿越迷茫幻影。

「直搗思維母體核心，回家——」

她淪陷在未知冥域裡，幾乎不動似的移晃著虛浮腳步。

「我欲歸去——，回家。」

老窩巢裡，濃鬱稠悶的暗黑質素，充塞在每個時空，無一能倖免，無一能逃脫；黑暗勢力，悍衛著母體核心，藏匿老靈魂，也魔幻著稚盈的心眼。

當墟冥思星的冰寒死氣，凜冽發威，凍僵了她的每一個細胞，每一個意念波動，僵化了她的思維和所有；漸漸地，老靈魂也因此無法再操弄命運之輪，無力再施展掌控的魔咒。

命運之輪，動不了。

命定魔咒，起不了作用。

因此，稚盈的陳舊意識，失去了力量；她，彷彿沒了靈魂，沒了感覺，失了形體，成了意念中的一縷纖細游絲。

不論發生什麼事，她都不再害怕了。

她的恐懼，全部消失了。

她丟下自己；背離原來的自己。

她棄絕原來的自己，堅定地，走向回家的路。

原來的她，那個老靈魂，所捍衛的墟冥思星核體，所鞏固的陳舊心智體，就被迫敗下陣來。

原來的她，敗陣了。

*****

老靈魂，敗下陣來了。

稚盈的思維母體，似乎當機了。

那麼，稚盈的內在戰事，從此就可停歇了嗎？

不！

千萬小心啊！

原來的她，為了墟冥思星的存在，絕對強行頑抗到底；老靈魂，為了保持原先的存在，絕不輕易棄械投降；思維母體，為了固守原來的存在優勢，藏匿在最嚴密的防火牆內，絕不乖乖就擒，放棄既得的霸權。

而且，就在墟冥思星的核心基地裡，有一股黑暗勢力正在策動恐怖闃黑軍團，展開絕地大反攻。

可是，旅人從來就不知道，有一場最後的聖戰，正陰險詭譎的醞釀策動中。一場最後聖戰，正在至暗至冷的墟冥思星的要塞，等著。

等一個良辰，要揭竿起義，等一個吉時，要一舉殲滅首要目標。

可是，誰會是老靈魂的首要目標呢？

誰是思維母體的紅心標的呢？

誰是真正的敵人呢？

稚盈不知道。

她仍渾然無知，跌跌撞撞地拖著死亡之步，深潛暗黑勢力核心，要直搗恐怖禁地，向著死亡陰谷行去。

那兒，沒有一絲聲音，沒有一絲水氣，空中竟是流竄的黑影，地上竟是堅硬嶙峋的巨石，和諸多不明意識體，所幻現而出的妖魔鬼怪，團團困住了稚盈往前

拖行的殭屍步伐。

嶙峋的巨石，胡亂聳立，參差斜出，窩藏著最恐怖的敵人。劍光亮晃晃，只要稚盈稍有疏忽，就會隨機行刺，飛出利劍。

「好險啊！」

在淒厲怪聲中，混亂龐雜的暗黑幻影，重重疊疊，胡亂交錯。稚盈一驚心，恐慌竄升，牙齒咯咯打顫，只能跌跌撞撞，步步驚心，突然，一陣刺痛隨即而來。她一見血珠滲出臂膀，更是盲亂竄逃。

竄逃中，稚盈感到刺骨的陰寒之氣，全面撲身而來；颯颯風聲，似有十面埋伏的刺客聯盟，團團逼近，她猛一抬頭，失心尖叫而出。

「妖魔鬼怪！」

剎時，群魔亂舞，揮著嗜血利劍，更是淒厲喊叫，追殺而來。

「殺！」

「媽呀！」

她全身無力，手軟腳軟，仍沒命的逃竄著。

糟糕的是，還有妖魔鬼怪，藏匿在嶙峋巨石間，不時的出招狙擊，無情追殺，逼她速速轉身。

轉身回去！

她被威脅，無處可走；她被逼迫，無處可去。

她退無可退，就要沒命了。

她膽戰心驚，慌的無計可施，只好緊閉雙眼，緊縮身軀，橫心一吼：「全是假的！」

「假的！」

瞬間，時空靜默，妖魔鬼怪，不見了。

一切險境，全部幻滅。

稚盈無力至極，癱軟於地。

無意識的意念，微弱卻頑強的波動著：「回家——」

回家。

於是，她茫然的動著狀似移不動的沉重步子，一步步，走下去，走在墟冥思星球最最瘖黯的時空裡。

她沒了思緒，沒了感覺，吊著一口真氣，一步步，走下去。

可沒多久，靜默的時空，又顛顛顫顫起來。

青面獠牙，猙獰的攜帶著一圈圈一環環長長糾結環繞的腳鐐手銬，索命來了。

「童稚盈嗎？乖乖納命來。」

稚盈無動於衷。

「妳是誰？」

「誰也不是。」

「報上姓名來！」

「無名小子。」

青面獠牙莫可奈何，隱隱然，退下了。

徒留一片冰寒至極的無垠闃黑波動，翻滾著。

翻滾，波動。

翻滾波動出戴著巨大黑斗篷的死神，駕著眼盲大黑馬，揮舞著超長的纏頸皮鞭，追殺索命來了。

「報上名來，受死——」

「沒名沒姓——」

「說，到底是誰？」

「誰都不是。」

「快說，是誰？」

「誰也不是。」一片靜寂中，虛弱的意識波動著。

死神無可奈何的退下了。

她丟下自我意識，棄絕自我黑影，拖著冰冷、空乏的軀殼意識，拉牽著稀少如無的意識，潛入幽森的潛意識底層。

她渾渾噩噩，僵屍般的拖著異常沉重的步伐，漫行暗黑時空。

她無知無覺地，闖入了墟冥思星的闃黑核心基地。

然後，銷融在一片闃黑中。

那兒，沒有一絲絲生氣，沒有一絲絲水氣，根本沒有一絲絲存在。她的身體，她的感覺，她的細胞基因核，她的意念，一個個正在崩解中；崩解為闃黑冥域。

她即將完全崩解，不見了。

即將，完完全全，崩解為闃黑冥域本身了。

然而，剎那間，一個意念動了。

一個超強的意念，啟動了她再生的生命引擎。

「我該回家了！」

這時，她的腦海裡，迅即閃過銀髮老嫗和高高揚起華麗超長尾翅，轉著旋子，舞動絢爛羽衣的藍鵲。然後，她立刻回了神，選擇去擁抱超強的信念，鼓舞自己。

「記憶是回家的棧道。」

「記憶是小種子，能發新芽。」

剎時，曙光臨照，綠芽萌發，長草在風中搖曳，輕脆的蟲鳴鳥叫聲，淙淙流水聲，蔥蔥鬱鬱的樹林裡，還有白鼻心、野貓、松鼠的蹤影，一切竟是生猛活跳跳的有情世界。稚盈的勇氣，旋即竄升而出。

她勇猛的敲破記憶石，穿越記憶時空。

*****

於是，稚盈記起來了。

稚盈終於記起來了。

在外婆家附近，有一座扇形車庫。媽媽溫暖的大手，牽著稚盈稚嫩的小手，欣賞火車頭出入的轉車臺。

「車庫，是火車頭的家。火車頭，就在那兒休息。」

「火車頭跑累了，就回車庫睡覺。」

「嗯，你看！火車頭來了。」

「耶，火車頭進入軌道了。」

「是啊！火車頭對上軌道，接上列車，就要跑起來囉！」

「火車快飛，火車快飛……」稚盈開心的唱起兒歌來，還數了數軌道，說：

「好厲害喔！」

「誰呀？」

「火車頭啊！它會接上列車，跑得飛快。」

「喔，不是啦！」

「不是？那是什麼呢？」

突然，媽媽哀傷地看著稚盈，搖了搖頭，做了一個深呼吸後才說：「是人們轉著轉車臺，讓火車頭接上列車。」

稚盈從媽媽的聲音中，聽到不尋常的東西，感到某種不對勁。可是，她不知

道那是什麼，就說：「這樣子啊！」

火車揚長而去。

媽媽仍靜默無語。

「要回家了嗎？」

「好啊，回家吧！」媽媽無奈地說著。

「回家囉！」稚盈高興的轉身要走了。

可媽媽杵在原地，一動也不動，好像有話要說。

「走啊！」

稚盈拉著媽媽的手，催促著。

媽媽的身體，隨著稚盈的拉扯，來回晃動了幾下。可她的雙腿，卻有如鉛錘落地，沉重地，一動也不動。

「媽，走啊！」

「不——」

「為什麼，不——」

天崩地裂的感覺，猛然襲擊稚盈。

媽媽無語。

「為什麼不——，妳說呀！」

「回家後，媽媽就要離開了。」

「離開，去哪裏？」稚盈嚷著。

剎時，空氣凝住了。

媽媽表情凝重的望著轉車臺，哀傷的說著：「火車頭，接上列車，就得一路跑出去了！」

「我不是火車頭，也不要做火車頭；我要爸爸，我要媽媽。」一時情急，稚盈毫無顧忌，連環珠炮般地，爆裂開來。

媽媽痛苦的低下頭，拱著背，試圖安慰地說著：「火車頭，不論跑得多遠，跑得多久，繞個圈，都會回到車庫，回到家啊！」

「不要，我不是火車，我不要做火車頭。」

「不要，我不要。」

「妳要乖，要聽話。」

「我要爸爸，我要媽媽，我要回家——」

稚盈嚎啕大哭起來。

「我要媽媽，我要回家。」

媽媽顧不得其它人的異樣眼光，和稚盈相擁而哭。

不知過了多久，稚盈仍抽抽咽咽著：「我要回家，媽媽帶我回家，我想要回家。我要回家。」

「稚盈，乖！」

「不要，不要！」稚盈瘋狂地哭叫著。

「我非得如此，我非得如此呀！」

「我不要，我不管。」稚盈憤怒的吼叫著。

「稚盈啊，有愛就會有犧牲。媽媽是不得不帶著愛離開啊！」媽媽充滿著深沉的悲傷，泣訴著。

「為什麼?為什麼丟下我?」稚盈頹喪至極的問著。

「寶貝啊，我是為了愛妳，才不得不選擇離開。我一直帶著妳，一直把妳帶在心上啊！」媽媽寬容又哀淒的說著。

「我好想妳，媽媽。」

「我知道，我都知道。我也好想妳！」

稚盈的心，隱隱作痛好一陣子。

然後，她直直的看著媽媽，看啊看，突然，翻騰出無比沉重、無邊龐大的巨能量，波潮洶湧的通過了烈火惡水的暗影，匯流到女媧的身上了！

*****

女媧雙手揪著心，悲悽的望著破了洞和傾頹的天地。這時，稚盈似乎接收到女媧的意念波動：「這家，怎麼會變成這樣呢？」

「是我的呼呼大氣，所造成的嗎？還是，我的淚水，氾濫成災呢？」

「哎——」女媧長長的嘆了一聲。

可這些意念波動，似乎又是來自稚盈的腦海裡。然後，她看見女媧對著自己眨了一下眼皮，轉為智慧的神光，靜靜地，凝視自己。

稚盈凝視著女媧，問：「是我不聽話？不乖嗎？」

兩行清淚，默默流下。

「是誰要妳這麼難過？」

「是媽媽？」

「是爸爸？」

「阿姨？」

稚盈連連搖頭，然後，無比哀傷的說：「不——，是我自己，我自己要這麼悲傷難過啊！」

這時，清淚順著臉頰，緩緩的滑動，滴落到大地的泥土中，她清晰的聽見滴落聲，哆——。

「停止悲傷，放下恐懼。過去的事，讓它過去，讓它過去吧！」聽起來挺熟悉的聲音，像似大地女神的祝福，又像是媽媽的心音，更像是自己的靜默心聲。

稚盈滿心懺悔著：「過去的事，過去吧！」

過去的事，就過去了。

但是，淚眼婆娑中，眼前仍模糊的跳動著烈火惡水的暗影，迷亂著她的心，也誘惑著她的心。

她用僅存的一絲絲意念，自我警惕、叫著：「別這樣，別再跳動了。」

可是，這激烈跳動的暗影，更是瘋狂的彈跳、顛顫著，就是要稚盈看見。

暗影也要被看見。

它牽引著稚盈，進入零碎、片斷、暗影重重的生活場景，讓她陷溺於迷茫、甜美、猜疑、追求、害羞、慌亂、遐思的迷魂陣中。

它隱隱地擠壓她的情緒意念，挑戰她的慣性思維模式。

它似乎刻意在稚盈的前方不遠處，搖晃著一盞陰黯不明的藍燈，指引出幽徑小道；可當她一踏出腳步，卻又像誤闖了旁支僻徑，掉入欲理還亂的自我迷宮裡。

那暗影是什麼？

她明明一心想要回家，卻又冀盼耽溺，沉淪其中。

它到底是什麼？

怎地如此模糊，卻又似乎了了分明，清晰的不得了——可是，怎麼可能？

怎麼會呢？

在那烈火惡水的暗影中，怎麼又會是阿光和以行呢？

然而，稚盈一有了這個念頭，女媧轉為溫柔慈愛的眼神，竟傳達著「那是另一場遊戲與考驗，學習如何去愛。」

絲娜葳的淬鍊

各式各樣的跡痕和形體，像是華麗的金銀絲線纏裹出來的小腳，像是數百年堅硬聳立的貞節牌坊，像是女子難養的千年魔咒，……安置著一個個密令，叫人哭，人就哭天喊地，……叫人笑，人就癡笑，以為幸福……

灰藍的夜空，掛著幾顆稀疏星子。

河邊有一棵碩壯老榕樹，牽掛著一樹的鬚根，在晚風中搖曳，撩撥銀藍色河水。暗夜中，以行倚樹而眠，看來就像是依偎在老榕樹的懷抱中，靜謐祥和。

阿光在灰藍夜空的掩飾下，高舉著火把，舉止詭異，神情憤怒的走向好友。

夜風穿梭林間，火把跳著鬼魅般的舞步，投影映照在詭異憤怒的阿光身上，合成忽大忽小、張牙舞爪，異常恐怖的妖魔鬼怪，在夜幕中潛行。

「他要幹嘛？」

稚盈尾隨在阿光之後，好奇地，要探個究竟，卻親臨一場混戰。

「哼！假惺惺。你到底要怎樣啦？」

「什麼事？」

以行聞聲，動了一下沉重的眼皮，說夢話似的應著。然後，側個身，又睡著了。

「你有話直說啊！這樣子，算是哪門子好漢，算什麼麻吉！」

阿光的火氣，又大又臭。

「什麼啦！」以行夢囈般的嘀咕著。

「她啊！」

「誰？」

「你以為我瞎了，好騙啊！」

以行轉醒，張著呆滯的眼神，看著阿光好一會兒，才說：「怎麼啦，很睏咧！」

「你怎麼可以那樣！」

「我怎樣？」以行困難的撐著眼皮，打著哈欠說著話。

糟了！以行的茫然無知和不當一回事的樣子，無端地，惹火了阿光啦！

這下子，愛想像、會想像的阿光，在難改的習性掌控下，不知不覺地，加油添醋，讓原本沒什麼大不了的事，蔓生了諸多料想不到的枝枝節節，滋長了莫名其妙的火氣來了。

更要命的是，不論是誰，通過不斷想像，所累積出來的意識能量，所引起的情感強度，絕對比一個真實事件，更要真實，更加強大。阿光受到想像中的心理作用，不顧真正的現實，不管真正的情境，再也按耐不住情緒的捉弄，憤怒的質問：「可惡，你怎麼可以那樣！」

「你在搞什麼鬼啦！」以行被吵醒，挺不耐煩。

「渾蛋，你幹嘛那樣牽手？」阿光憤怒不已！

以行煩透了，睜著骨碌碌的眼珠，瞧向怒氣沖沖的阿光：「什麼跟什麼，瘋啦，你！」

「沒錯，我就是瘋了。」

慘了！

以行一瞧，不僅瞧出阿光的怒氣和瘋狂，也撩起自己的火爆和不顧一切的情緒來了。「你到底想要幹什麼？」他煩躁地，聳起肩膀，夾雜著濃厚的挑釁意味，又說：「想幹架嗎？」

慘了！慘了！

火上加油啦！

剎時，阿光完全喪失理智，眼前所見，不再是真實的以行；而是，心中想像

的以行；而是，心中以為的以行。他怒不可遏地，拿著火把，猛衝上去；他發瘋似地赤手空拳，從火把上抓起火球，直直地擲向以行，並大聲叫嚷著：「下流傢伙，吃我這招，燒得你面目全非。」

「瘋了，真瘋啦！」以行完全的驚醒過來，立即來個側滾翻，僥倖逃過火舌紋身。可是，事出突然，他一時情急，顧了這一頭，卻顧不了那一頭，啪嗒一聲巨響，河水飛濺，驚心動魄的跌落湍急的暗水中。

在此意外的紛亂下，阿光更是發火有理，全身上上下下，裡裡外外的每個細胞，都冒出火來，不顧一切，展開猛烈襲擊，攻勢一波強過一波，火勢奇猛；火球，球快過一球，不斷投擲而出。

時空詭譎，大事不妙啦！

阿光的滿腔憤怒，正要燎燒出一發不可收拾的致死火勢啦！

以行見狀，萬般驚心，本能地跳出暗水，舉起手臂，抓握低垂的藤蔓枝條，盪向暗水中的巨石，在河中東躲西閃，危險萬分。

那局勢，真是退無可退，逃無可逃，他只好見招拆招，引運河水，橫心吼叫：「看我的無敵大水柱，把你衝上天，摔死你！」

他的萬分驚恐，灌注出無情無義的驚滔駭浪啦！

然而，偏偏在此緊要關頭，稚盈的幽深哀怨，讓她凍結了自己，像似一顆無動無語的死硬石頭，只能一籌莫展的目睹戰局，把自己淪陷在好友相煎的戰場時空裡。

偏偏在此關鍵時刻，她的萬般悽苦，讓她封印了自己，困處於隔離無助的時空中，失去所有力氣般的喃喃自語著：「別鬧了！你們兩個，別鬧了。」

「你這渾球，誰怕誰來啦！別躲。」阿光口呼大氣，連環火球，瞬間形成狂妄焚火。

阿光與焚火，幻化成一條赤紅火龍，一邊噴吐惡火，一邊狂吼著：「先吃幾記火紅連環焚球。」

稚盈搞不清狀況，焦急萬分，腦海中快閃了無數念頭：

「阿光，你可別亂來啊！」

「哎，你那躁動的心，到底燃燒著什麼火啊？」

「你被什麼東西，沖昏了頭，怎會如此狂亂呢？」

「小心！阿光，可別把心中的星火，化成了燎原之火啊！」

然而，她深鎖喉頭，說不出任何話語來。

這時，以行也幻化成一條冰藍水龍，狂亂的吼叫著：「哼！悶燒鍋，火山爆發啦！看我的惡水，淹死你。」

冰藍水龍，倏地衝出暗水，直衝暗灰蒼穹，瞬間，又以石破天驚的攻勢，俯擊赤紅火龍，雙龍纏鬥不休。

稚盈感到全身涼颼颼，滿心困惑著：

「以行，你到底怎麼了？這不是平常的你啊！」

「以行，你不是最珍惜友伴嗎？現在，你為什麼喪失了理智，卯起勁來，要阿光的命呢？」

赤紅火龍，長身一轉，集結真氣甩尾，轉守為攻，險中求勝。出其不意的強勁力道，有如生鐵淬鍊出的千斤鋼刀，直取冰藍水龍的咽喉。

雙龍的火攻水摧，持續對峙著，招招致命。

稚盈仍困在自己的哀怨悽苦時空中，沒有聲音，沒有力量，沒有行動，無法掙脫火攻水摧的紛亂戰場。

但是，在她的情緒波動底層，又有紛亂的東西，流竄不已！

那是不明就裡的困惑、迷離的企盼、不知所措的尷尬、心痛的責難等，攪揉出不知是愛意，還是悲傷的況味。

她該怎麼辦？

她到底該如何終結這場戰亂呢？

*****

「那不是我的錯，不是我的錯。」稚盈深深地嘆了一口氣，遊說自己，出離紛亂瘋狂的時空，觀照自己，回了神，凝視女媧。

靜靜地凝視。

她那紛雜、莫名、糾葛的情緒波動，也就緩緩的，平靜了下來。

她的心，靜定了下來。

漸漸地，她忘了身體的具體存在，感受到無形的能量波動不已。可沒多久，挺意外的，她聽到了的四個聲響；那是從左、右手腕心和左、右腳踝處，分別迸出像彈開鎖片的清脆開鎖聲。

剎時，她的身體意識上的手鐐腳銬，被解開了。

然後，她發現有難以數計的千絲萬縷，同時從被綑綁的身體中，崩裂碎斷開來；她的身體，像似從沉睡的古早記憶中，醒了過來。

她開啟了身體的小宇宙時空，同時，驚覺身體中，正流竄波動著一股強大的力量，讓她不知該說什麼才好。

她說不出話來！

可那力道，讓她的意識進入身體時空，揭開了註記在身體中的真相。

她終於發現了。

她發現了數千年文化，綿綿延延，化結為一條條剪不斷的透明絲線，藏匿在生活、祭典、書冊、影像、話語、建築、人來人往中，握在外婆、爸媽、老師、朋友的手中，也握在自己的手中，共同串聯，集體編織，成為一個個想法和觀念，挾持住她的心，鎖住了她的喉，摀住了她的口，害她只能用微弱到幾乎聽不到的聲音，蠕動著雙唇，說：「別鬧了！拜託——」

拜託！

可真沒想到，真的沒想到啊！

這時，就在這時，阿光竟然火上添油般，對著剛剛擁有嶄新的身體意識，剛剛才脈衝躍進的大腦心智體，清晰無比的看著自己的肉身體，仍無法動彈的稚盈，叫囂不已！

「說！」

「妳說啊！」

稚盈萬般無助，無聲以對。

「說啊，妳！」

稚盈無能為力，無聲地，蠕動著嘴唇。

「選一個！」

「妳選啊！」

稚盈的嶄新意識，拚命要主導肉身體，擠出猶存的微弱氣息，開口出聲：「什麼？」

「選我，還是選他！」

阿光赤裸裸的逼問，窘迫著稚盈，蜷縮起身體。

他惡狠狠的逼供，嚇壞了稚盈，再次淪落為舊思想觀念體的化身，淪為自我念頭的奴隸。剎時，她臉頰閃現紅霞，卻又瞬即化為慘白；全身一陣熱，一陣冷；

一時歡欣，一時生氣；忽而嬌腆，忽而兇悍……，不僅端不出大姊頭的氣勢，還落入百般慌亂，不知所措的蠢樣，呆呆地應著。

「說什麼？」

然而，隱隱約約中，在她的心緒底層，又騷動起一絲頑強卻無力的抗拒勇氣。

那勇氣，孱弱如寒風中的游絲。

那游絲般的勇氣，來自剛剛喚醒的心靈意識，微弱無力地波動著，幾度忽顯忽隱地輾轉波折，幾番沉沉浮浮的持續堅持，飄搖晃盪不已。

飄搖晃蕩在不明時空中。

企圖突圍而出。

企圖突圍而出的靈性稚盈，頑強的微弱波動著，懸吊撐持著那游絲般飄搖晃盪的勇氣。

勇氣，迷離在尚未清明的暗黑時空，游絲般，飄搖晃盪。

可阿光又咄咄逼人，來勢洶洶，惡狠狠的命令著：「你說——，是他，還是我？」

稚盈毫無一絲力氣，能回應如此蠻橫的逼迫。

可稚盈的無力點，恰恰就是她的力量來源；她的心靈能量，隱隱波動了起來；她奮力掙扎著，伸直身體，企圖擺脫無形的窄制和擺佈。

她掙扎著抓住那一絲絲被文化、親人、師友和自己踐踏久遠，微弱無力的意念企圖，好從鋪天蓋地綿綿延延的一條條透明絲線的圍剿下，逃脫。

她百般掙扎著，試圖剪斷千百年文化氛圍中，所化結的透明絲線的捆綁，掙脫理所當然下的木乃伊式的束縛。

然而，那可恨的透明絲線啊，異常粗壯，異常強韌，卻又善於隱身變身術，讓她很不容易看見。它們強詞奪理，蠻橫無禮，瞞天欺地，對著稚盈的肉身體全面撲身而來，讓她幾乎吸不到一口足以活命的氣息，胸悶不已！

她痛苦的垂死掙扎。

她抱著必死決心，苦苦抗拒著那層層疊疊繁繁複複冠冕堂皇的絕美編織物；她懷著磐石般的意志，咬緊牙根，細細拆解著那些由恫嚇威逼欺瞞掩飾美麗誘惑的千古還魂共生體。

她苦苦堅持。

她在洪荒歷史中，奮力掙扎，艱苦泅泳在禁閉的生活空間和文化暗潮中，幾

乎要溺斃了。

就要溺斃了。

她張開了大口，痛苦無比的吸取活命的氣息，好一絲絲拾起力量，拼湊自己。

終於，心靈能量洶湧，智慧之光射入，內視屏幕開啟。終於，她看透了那些剎那幻現有關紅的、黑的、藍的、紫的……各式各樣的跡痕和形體，像是華麗的金銀絲線纏裹出來的小腳，像是數百年堅硬聳立的貞節牌坊，像是女子難養的千年魔咒，像是高掛的大紅燈籠等什物；她辨識出大文化如何在分分秒秒間，牽制著自己，成為合乎禮教的懸絲魁儡；如何在有形生活互動裡，安置著一個個密令，叫人哭，人就哭天喊地；如何在無形意識中，設計了一個個儀式，叫人笑，人就癡笑，以為幸福……

然後，她重新拼湊，建構自己。

她從過往生活和一路行來的時空旅程中，拾起一片片被錯置、塗抹、掩藏、遺忘的自我拼圖，重新拼湊自己時，她清楚的看見了，自己不是被囚禁在思維母體中，那個原來的我；自己也不是外婆口中，那個命定的我。

我，不再是我！

「妳，快選！」

阿光張牙舞爪的吼叫。

稚盈搖搖晃晃地站了起來，聲細如蚊，嗡嗡嗡：「選什麼？」

「我，還是他！」阿光鬼哭神號般，狂嚷著。

她倒吸一口氣，撐漲胸膛，腦袋瓜空白了一會兒。

「說！」阿光發瘋似的狂嚷、威逼著。

「你啞巴啊，說，現在就說！」

這時，阿光狂飆的瘋癲意識，在時空中激盪著連綿恨意，洶湧出猛烈怒意，讓剛剛掙脫透明絲線的捆綁，正在重新拼湊自己的稚盈，也洶湧出滿腔怒意。

她火大了。

她真的火大了。

她澈底的醒過來，慎重的搖搖頭，凝氣於喉頭，使出元神大力氣，厲聲還擊：

「瘋啦，你！選什麼，選？」

突然，赤紅火龍的熾紅雙眼中，燃起猛烈妒意，張牙舞爪，瘋狂吼叫著：「大笨蛋啊你，這有什麼難懂！你到底要選我，還是選他？」

剎時，以行心神一凜，暗暗吃驚，微張著嘴，輕呼一聲：「啊！」然後，冰藍水龍的騰騰殺氣，隨著剎那意識的波動，倏地消失。

他退了兩三步，低下頭來神秘一笑，冰藍水龍，也倏地消失。

沒想到，在這瘋狂囂張的時空裡，剎時間，少了對峙的敵意，赤紅火龍也因而微妙的弱化了。

剎那，弱化。

終於，消失不見。

*****

這時，稚盈看了看以行，又看了看阿光，那雙明亮的眸子裡，流露出某種不必明說就能意會的光彩，燃燒著不同的火燄了。

她恢復了心神和力氣，一副沒事樣的口吻說道：「什麼跟什麼嘛？我們是夥伴，不是嗎？」

「沒錯，我們是夥伴。」

「是夥伴呀！」以行也以輕飄飄的口吻，虛應一番，然後，壓下了頭頸，再翻起眼球，死死地，盯了阿光好一會兒，才小心翼翼的，和緩著口氣說：「不過，是他先發火的，又不是我……」

「不，是你拖我下水。」阿光仍氣憤不已！

「夥伴是一回事，這是另一回事。」他仍聲東擊西，打著啞謎。

「什麼？阿光，你可別忘了！」

「我又忘了什麼？」阿光一副蠻橫，耍賴著。

「少來了，這一切的一切，是你，起的頭，是你，召的禍。」以行牙癢癢地說道。

「什麼，你說什麼？」這下子，阿光又被話語聲波打到，暗黑種子迅速萌發。

「我說，這一切的一切，是你，是你，衝著我而來；我，只不過是被你激怒罷了！」以行越說越火大，他的情緒意識，也被阿光一把攫住而去。

哎，好不容易平息的火場，這下子，又是火星四射啦！

稚盈感到懊惱極了，隨口說道：「真是兩頭大龍怪！」

「沒錯，是大龍怪。」

沒想到，隨便一句話，又搧了風，撩起火星，觸犯了阿光，助長火勢了！

「我就是大龍怪。不然，你要怎樣！」阿光銜著稚盈，咬牙切齒地說道，以行只好陰著一張無情的臉，防衛著。

「別鬧了！阿光。」

稚盈無力到了極點，直說著：「別鬧了！」

「兩頭大龍怪，一定要分個高下！」阿光氣燄高張，作勢又要發射火球，展開攻勢了！

稚盈不禁興起悔意，自責的說：「哎，多話了，我多話了。」於是，縮回那個暗暗的小角落裡，一動也不動，凝視著女媧。

09

漂泊的史冬

在若有似無的眼簾縫隙間，僵著一雙早已遺忘的石眼與石瞳子，散漫出幾乎不存在的迷茫眼神，浪浪蕩蕩，搖晃起恆久無動無語的身軀，無意識地，你碰我，我撞你，轟隆轟隆，硜硜作響了起來。

無奈地，稚盈躲回悲傷的意識時空中，凝視女媧；女媧滿臉哀戚，緩緩地，轉頭審視這一個被瘋狂荼毒破壞殆盡的悽苦時空。

她久久地、久久地，審視著面目全非的天與地；稚盈也久久地、久久地，凝視著女媧，毫不留意時間的流逝。正確地說，在此，時間根本不存在。

然後，女媧默默地站起身來，一邊跨著似動非動的步子，一邊環視天地，眼波流轉，輕盈的揀拾起一顆顆看起來不怎樣的笨重石頭，抱在懷中。

「妳要做什麼？」

女媧俯視著稚盈好一會兒，沒說什麼。於是，稚盈伸出食指，比了比女媧懷抱裡的石頭。

「你說史冬啊！」

稚盈點了點頭，心想這些個有名有姓的東西，怎麼看就只是一顆顆不起眼的石頭，就再問了一次，「你要做什麼？」

「補天啊！」

「不可能啊！荒謬。」稚盈說出來不及攔下的閒話後，轉口問：「這麼硬的石頭，怎能補天？」

「作夢啊！孩子。」

剎時，低沉悶聲嗡隆嗡隆響，鼓盪著稚盈的耳膜。直覺地，她把眼光投注到女媧懷抱中的石頭。

說來遲那時快，史冬們，竟然像似從沉睡的時空中，醒了過來，很努力地企圖撐開已閉合億萬年的沉重眼皮，並在若有似無的眼簾縫隙間，僵著一雙早已遺忘的石眼與石瞳子，散漫出幾乎不存在的迷茫眼神，浪浪蕩蕩，搖晃起恆久無動無語的身軀，無意識地，你碰我，我撞你，轟隆轟隆，砰砰作響了起來。

「我在作夢嗎？」

「嗯，史冬是石頭，就有石頭的意識，就有它的本來。石頭呀，即使再冷再硬，曾經也有過激烈的噴發，才能從地心來到地面；曾經也是熾熱的熔岩，流淌在千

山萬水、有情世間，把沿途的花草樹木，眾有情識，燒成灰燼，流瀉出強大的能量。史冬呀！不僅是熔岩，不僅是橋墩，不僅是城牆，不僅是石碑，不僅是石屋，更是極熱的氣體雲霧，不是嗎？」

「難不成，它仍封存著不滅的本來原力嗎？」

「嗯，不管史冬曾在億億兆兆年的時空中漂泊過，曾在冰河寒冬中流轉過，它必然有了本來原力，才成得了石頭啊！」

而且，就在稚盈與女媧說話間，磴磴作響的史冬們，就在彼此的擦拭碰撞間，撞擊出忽閃忽滅的星火，然後，星火跳躍，穿梭，編織成靈動的火源。

更明確地說，磴磴作響的石頭，彼此碰撞，隱約有了黑光的流動，而閃電般的白光穿梭黑光中，然後，迴旋湧現出紅、橙、黃、藍、綠光，釋放出無數星火。然後，石頭和星火，你引領著我，我激發著你，彼此催化共生出活生生的靈動火源，然後，輕盈的集體旋轉，舞動，跳躍，飛騰在稚盈的眼前和女媧雙臂間。

「啊，飛起來啦！」

「難不成，它們也是飛天石？」

女媧沒有多說，似動非動般，極為緩慢地張開了臂膀，靈動的火源和無數星

火就跳起火影舞，然後，燃燒起熊熊烈火來了。

「啊，女媧在空中煉起石頭來了。」

熊熊火光，把史冬們燒得紅通通，成了流動的熔岩，不時現出彩虹鳥、琉璃、藍鵲、紅寶石、金黃獅鬃、翠玉、錦鯉魚和鑽石般的形影和光彩，向著高高的天空，流竄而去，燒出通紅的天際。而且，那極美的光彩，映出專注的女媧越長越高，從大地到天穹，五彩光暈，激烈的舞動流竄，越竄越廣，越竄越高，成為螺旋的火龍捲，攀昇直上通紅的天際。

火龍捲螺旋攀升上天。

稚盈通過熊熊火光，看著專注煉石的女神，不禁自言自語著：「哇，好美啊！神奇的舞動光影，多美啊！」

她神醉似地看啊看，看啊看——

突然，稚盈靈光一現：「啊，是我；我是那光，我是那火，我是女神，我是母親，我是女兒，我是大地，我是繽紛的五彩石，我是史冬。」

「沒錯，我是所有的集合體，同時，我也是什麼都不是。」空靈聲音，清晰地波動著。

「啊！我在做夢嗎？」稚盈不禁呼叫而出。

「做夢吧！孩子，讓夢中之光，通達天心，勇敢的去嘗試、去創造，去做對的事吧！」

*****

稚盈眨了眨眼睛，意識自由自在的穿梭時空，出發去旅行了。

不知不覺地，她的思緒，切換到阿光和以行仍對峙的戰場，而嘆了一口長長的氣，問：「為什麼水火如此不相容？」

「孩子啊，不一定這樣，不一定這樣啊！」

「可是，以行和阿光，仍打得火熱，仍拚得你死我活，那該怎麼辦才好呢？」

「多看，多想吧！」

「可是，我就是看不懂，想不通呀！」

「來，妳看，這水啊，能給人解渴，給萬物生命。」女神隨手一指，稚盈就來到了一大片無垠的荒野沙漠，可沒多久，甘霖由天而下，淋得她滿身溼答答。

而且，就在她那一雙肉眼的凝視下，那一顆顆水滴不僅顆粒分明一一奔赴沙塵荒

漠間，剎那間，那些顆粒分明的小小水滴旁，還有粒粒清晰的小小沙塵，還漫布著若有似無的霧氣。而且，就在這些無比清晰，粒粒分明的粒子交流碰撞中，生出了粗壯碩大的仙人掌，長出了比壯漢張開的雙臂還要巨大的蘑菇，開滿了豔紅紫黃的花朵，創生出變色的蜥蜴……然後，成了大江大河原野山丘飛鳥走獸和人群。

「可是，這水啊，也會奪去一切，要人命，不是嗎？」

在女神平靜的聲波中，稚盈因此聽到了隆隆水聲，看到了洪水，帶走了一田田秧苗，擄走一間間房舍，摧斷鋼筋巨橋，吞沒千年巨木；無情的海嘯，瞬間吞沒一切生靈。

「火啊，會要人命，也能給人命，不是嗎？」

剎時，時空幻現，又是火舌狂舞，四處竄燒了起來……

一時之間，稚盈無法適應，就慌亂地求饒著：「別燒，別燒啦！」

女神若有似無的輕揮衣袖，剎時，一切如常。

她靜定的看著稚盈，稚盈也安定了心神，進一步的思辨著：「這事事物物，怎麼老是這麼變來變去，這麼繁複雜亂，讓人看不清，看不透呀！」

「妳呀，多看，就能看出個譜。」
「多看，要看什麼呢？」
「多看，就能看出本來啊！本來啊，一切就是這樣，變來變去，沒什麼大不了啦！」
可稚盈仍困惑不已！
「你看喔，這萬頃江湖水，重嗎？」女神又說。
「當然重啊！」
「可是，這萬頃江湖水，遇上了太陽烈火，會變成什麼呢？」
「變成水氣和雲霧。」稚盈開心說道。
「水氣和雲霧，就變得輕而大，大出江湖了。」
這時，女神的聲音，像似乘著雲霧水氣，輕盈的飄逸在空靈的時空中。
「真的耶！」
「同時，這江、湖、雲、霧，也是萬年冰河、乍現浪花和潮動海洋，不是嗎？」
「是呀！」
「那麼，用心看吧！」

「啊，漫出江湖的東西，除了水氣、雲霧，似乎還有——」

「還有什麼呢？」

「還有，歡騰的情誼。」

稚盈懂了。

她真的懂了。

「這一切，只是歷程；這一切的一切，就是人生旅程；要我們去經歷，去體驗，去學習啊！」

於是，稚盈環視著切身的生活天地，一下子是爸爸、媽媽，一下子又是阿光和以行。她看著他們交替出現，穿插著對話和故事，卻也難免就相信了。

她相信，眼前多了一片光亮的翠綠小天地。

她清晰的知道，這是她的綠光任務。

*****

這是不斷變動的時空旅行啊！

剎那間，阿光和以行捉對廝殺，又襲擊稚盈，劇烈波動了起來。這還不打緊，

一堆有的沒的，沒完沒了的意念，排山倒海似的，一波波接連而來。而且，一個個陌生、嗆辣、令人羞愧的念頭，紛紛亂亂湧現而出，毫不停歇地壓迫著稚盈，害她一個頭兩個大，脹得要命，只能連連叫著：「停，停下來！」害她只能苦苦哀求，「別這樣啦，停，停下來。」

可那鋪天蓋地的念頭大軍，像邱比特的愛神之箭，胡亂發射，肆意亂行，霸道掌控著稚盈，奴役著稚盈的肉身體，逼迫她言聽計從，乖乖就擒，害得稚盈一下子，氣呼呼，嘟小嘴；一下子，心跳加速，怦怦跳個不停；一下子，體溫迅速上升，雙頰飛紅；一下子，全身顫抖，咬牙切齒；一下子，直想挖個洞，把自己藏起來；一下子，自我懷疑著：「這真是我嗎？」一下子，強力反駁著：「我才不會有這種鬼念頭！」……

稚盈的腦海裡，時空被極度擠壓，剎時，洶湧出億萬個骯髒、可惡、刁蠻的念頭嘍囉們，一波波飛逝而過，立馬竄進另一波，毫不停歇似地無理騷擾、拉扯、掌控、欺騙、威脅、戲弄或蠱惑著她。億萬個念頭小賊，排山倒海般地湧現，讓稚盈藏不了、躲不開、壓不下、避不了念頭大軍的猛烈襲擊。

她，只是一個言聽計從的奴隸，只能當一個傀儡。

她，只能無助、無奈、無能地，經歷著自己的傀儡人生。

然而，就在稚盈見證著念頭大軍的暴力和蠻橫時，不得不有了更清晰的看見。她看見了躲在念頭大軍的暗黑山寨裡，那暗影重重的內在實相了。

「啊，山寨王?!」她不得不怵目驚心的暗叫而出。

山寨王，躲在烏雲密布的賊窩山寨裡，藏在墟冥思星的闃黑處，窩藏著自己的深層渴望、童年痛楚、少女企盼、濃濃思念、不安躁動、離別苦痛、莫名恐懼等，還密謀指揮一群胡亂拼湊的念頭賊兵，興風作浪，成為所向披靡的念頭大軍啊！

萬般挫折地，稚盈撞見了未知的自己。

「我，是我，原來是我啊！」

「我，竟然就是山寨王。」

而且，在她的腦海中，仍有烈火惡水的暗影，遮掩在前的雲霧，讓她的心頭著實沉重啊！

那是什麼？

她緊盯著烈火惡水的暗影，逕往愁雲慘霧裡，瞧了又瞧。然後，她鼓動真實的願望，興起大勇氣，直白地問道：「什麼是愛呢?爸爸媽媽愛過彼此，阿光以

行也愛過彼此啊！」

「愛啊！它能以著超凡的力量，多變的身影，活動在人群中，跳躍在萬事萬物上，串聯在所有時空中，展現在看得見和看不見的地方。」

「難，真難啊！」

「不，有時也是挺容易啊！」

「怎麼這麼複雜呢？」

女神悲憫的看著稚盈，又說：「戀情是用來練情習愛啊！」

「哦？」

「愛啊，它能平實地轉化一切。有了愛，就會有關懷、分享、照顧、給予、祝福、堅忍、寬恕、服務和奉獻等；可是，有了愛，也會有離苦、威脅、憤怒、佔有、恐懼、忌妒、傷害等很多很多值得探索的東西。面對它那多變的身影，可要小心思辨，才不會迷失自我，害人誤己啊！」

「哎！這情愛的密碼，真難解！」

「愛啊，它跳著幸福的舞步，挺能鼓舞人，振奮人心喔！」

「在我看來，它啊，老愛跳著死神的舞步，攪亂春水，捉弄人，蠱惑人，陷

害人，毀滅人啦！」

「孩子啊，放下悲傷吧！放下悲傷，妳就會學到愛的秘密。」

「可爸爸媽媽，鬧得可真慘；阿光和以行，打得可真凶啊！」

「爸爸媽媽的這番爭吵，是他們自己的悲哀和愁苦。阿光和以行的這番廝殺，只是他們一時的迷惘和衝動。與我無關，那沒什麼。」

女神的話語聲波，源源不絕的注入稚盈的身軀意識裡，讓她連想都沒想，就大聲的說：「與我無關，那真的沒什麼。」

沒什麼！

剎時，稚盈打從心窩裡，輻射出一道道光芒，全身滋生出未曾有過的大力量。於是，她抬起頭，熱切的迎向阿光和以行，勇敢的說：「傻瓜啊，你們兩個。我們都是好夥伴啊！」

剎那間，女神不見了，烈火惡水的暗影不見了。

剎那間，那時空裡的紛紛擾擾和萬般糾葛，水深火熱的磨難和痛苦，也瞬間隱匿無蹤。

一切都不見了。

這突然的劇變，讓稚盈有了難以理解的慌亂感，而陷溺在困惑的小漩渦裡。

「不見了！」

「這樣子，就不見了？」

然後，她感受到靈魂的躍動，對自己的身體，升起一種瞭若指掌的感覺，知道這一切的烈火惡水，這一切的暗影，是自己的一部分。

她終於知道，如許真切的世界，頃刻間，會成為夢幻泡影。會消失不見。

「那麼，還要在乎什麼呢？」

她旋即升起一種慶幸感，而釋放了壓力，感到一種出死入生的喜樂和雀躍。

*****

時空梭，安靜的航行，穿梭時空。

時空戰士，遠離塵世，漫遊虛空，回首過往，眺望藍色星球。阿光瞅著以行，以行看了看阿光，又看了看稚盈，什麼話也沒說。

稚盈低下頭，一邊靜靜的想著，一邊還用手指頭，輕輕撥弄著耳環，好像什

麼事，都未曾發生過。

但是，他們不言自明的知曉著神話號時空梭帶著他們步上終極旅程，能隱約的感受到，好像曾發生過什麼事，而且，還在身體的某處，留下了幾乎不見的痕跡。

那幾乎不見的痕跡上，說著蕩人心懸的故事。

而且，故事都是真的。

只是，那些故事啊，都重疊到一塊兒去了，讓人無法完全清楚，卻又還原了某種實相，讓他們再也回不去原來的樣子了。

*****

梭長在視訊上，微笑不語的直看著三人。時空梭裡，放蕩著無所事事的氛圍，然後，轉為欲言又止的曖昧。畢竟，阿光還是耐不住曖昧氛圍，首先打破沉默，明問著：「怎麼啦？」卻又別有番滋味在心頭，暗暗期待著：「現在又要唱什麼戲呢？」

「導航預設的時空旅程，就先到這兒囉！」

「這遊戲真特別。」
「特別讓人自由、輕盈起來。」
「密碼再難解，終究也能解開。」
「沒錯！」
「因為放下行囊嗎？」
「妳說呢？」
「應該是吧！」
「那麼，我們要返航了嗎？」
「是的，要返航了。不過，回家的路，長路漫漫。至於，路上會發生什麼事，需要我們去面對、去解決，也是難以預知啊！」
此時此刻，只是回家的開始。
以行凝視著「神話號」三個字，自顧自的嘟囔著：「虛擬文字罷了！」
「那還用說嗎？」阿光衝著以行，訕笑著。
「神話號帶領我們，為自己出征。」
「穿梭時空，戰出自己，為自己找到希望。」

「不過，時空旅行的一切，只是場遊戲。」以行嚴肅的說著。

「既然只是遊戲，終會有遊戲結束的時候。」阿光悠悠說著。

「只是遊戲結束後，沒有蹤跡，沒有訊息，只有思念，永恆的思念罷了。」稚盈開始有了不捨的心情。

「是啊！神話只是想像、隱喻的故事罷了！它們從來就不是真的。不過，在神話中走一遭，是絕對必要的旅程啊！因為，神話從過去來到現在，從生活中來，又回到生活中去，……」

「神話要回到生活中去做什麼？」以行極為關注的問著。

「在這一來一去的旅程中，就在我們的靈魂裡，烙下了跡痕，引領我們，活在當下，奔向未來，創造美麗的生命啊！」

旅人默默無語，沉思著。

「而且，這神話故事啊，它們從來就不是讓人逃避，讓人隱藏。它們啊！是一座橋。」梭長語漏玄機地說著。

「一座橋？」

「對！一座心靈之橋，接引人們去發現真實的自己。」

「那麼，神話是工具囉！」

「時空梭，也是工具。」

「時空旅行，是一趟超高科技的夢幻冒險旅程。」

「沒錯，你們說的都沒錯。每個幻境，都存有平行對應的現實。我們唯有了解真實，才能了解世界。而且，本來的真實，是一個完整，無你無我無他無語無聲無物無實存的無歧地。而真實呀，不論是你我他天地草木異星生靈水火科技文明話語星際航道量子意識等一切的一切物質的真實，都是虛無，這就樣，如是存在。」

於是，時空戰士乘著時空梭，真實地，走了一趟冒險旅程。

他們終於了解到，唯有通過肉眼難察難辨的虛存幻境幻象，才能接近真實；終於了解衲伯曾說過的「真真假假，都是假啦！」

「那麼，看待現實人生中的所有事事物物——可別完全當真。」

「如果當真了，會怎樣？」

「你說呢？當遊戲一結束，人們常會怎樣做？」

「那就再玩一場遊戲啊！」

「是啊！一次又一次的玩，玩得太高興，就擺脫不了遊戲。」

「就會沉淪虛擬世界。」

「背離本真囉！」

10

回家路

家，是旅人最終要前往的方向。

一路上，旅人顛顛簸簸，遠行千萬億萬哩，穿梭在大大小小的異星球時空，只是為了回家；家，是旅人最終要前往的方向。

返航設定，「回家」。

時空旅人各就各位，不再交談。

在沒有黑夜，也沒有白天的時空中，時空梭靜靜的穿梭。

靜靜的穿梭，靜靜的——

「我們在太空飄浮嗎？」

「不會吧！回家，是唯一的選擇啊！」

「可是，我們好像失聯了。」

「啊！完了——」

「當機了！」

時空梭，靜止不動了！

速度又歸為零。

「發動引擎，設定「回家」。啟動回家系統。」稚盈語音操作著。

突然，一陣劇烈顛簸，哐啷噹——，艙壓急速下降。

「艙壓異常！」

「啊，氧氣量急速下滑。」

「想想辦法呀！」

「糟了，止不住下滑速度！」

「別急，先放緩呼吸。」

「慘了，再一下子，我們就會缺氧而沒命。」

「啟動逃生系統！」

「快，快啟動。」

「進入救生艙。」

「快！」

「阿光，你幹嘛杵著不動。」以行盯看著數據表，慌張的叫著。

「沒用的，我不再逃了。」阿光也看著艙壓儀器表，無動於衷。

「醒醒呀！阿光，你真的這麼想死嗎？我不想死，稚盈不想死，你也不該想死。生命多美好，我們不可輕易放棄。」

在這危險至極的時刻中，以行對著阿光大聲嚷嚷，還猛力的推了稚盈和阿光一把，前進救生艙。

救生艙即刻要起動了。

進入救生艙，阿光返身一瞧，以行竟然還留在艙外，想都沒想，急急呼叫著：「進來，我們一齊回家。」阿光從快要關上的艙門伸出手臂來，一把攫住以行。可以行悲壯的頂住自己，說：「你們走罷！這個救生艙的動力設計，只夠兩人平安抵達家園。」

「啊，不——。」稚盈急得眼中一陣迷霧，還要勉強忍住，不讓眼淚流下來，卻忍不住心中的悲傷與悽切。

家園的殷殷呼喚，在漫漫長路迴盪，烏雲和暗影低沉，迷茫家園在前方。

阿光二話不說，攫住以行的手臂，猛力反勾，強行拖進以行，稚盈搶在最後

一秒中，轉下艙門的安全鎖。

救生艙，即刻彈跳而出。

「你們，這又何必！」以行嘆了一口氣說。

「別傻了，我們一齊出來旅行，當然要一齊回家。」阿光說。

「就是嘛！而且，依照總重量和生理需求度，一切沒問題的。」稚盈安心的說著。

「哦？」以行訝異的瞪圓眼睛，拍了一下腦袋瓜，然後，開心的叫了聲：「回家囉！」經過了這個意外，旅人顯得特別安靜，不多說話。

*****

救生艙，靜靜的穿梭時空。

以行回憶著自己，如何搶攻時空梭免費票，如何對抗爸爸的權威與堅持，如何體驗到媽媽的寬容與智慧，……他靜靜的憶著、想著自己的心路歷程。而且，一想到，爸爸眼中的那抹笑意和自己對老爸的誤解時，一陣熱血湧上心頭，並高高的揚起嘴角，自我陶醉著。

心情漸漸鬆弛，睡意濃了。

這時，沉睡的心靈，醒了。

「誰在說話！」

「你說呢？」

「你。」

「我。」

「為什麼你想知道？」

「我不想知道。」

「那你為什麼問？」

「我問什麼？」

「你問我是誰？」

「你知道我是誰嗎？」

「不，我不知道。」

「你不知道我是誰？」

「你來告訴我。」

「我也不知道我是誰。」

「我還在試著了解我自己。」

「我們一起來探索。」

「那麼，什麼時候，可以回到家？」

「該到的時候，就到了。」

於是，以行完全放鬆，並沉沉的睡下了。

救生艙，穿梭在一片廣大無邊的星空中。

*****

稚盈呆坐著，不知在想什麼。

忽然，她的眼角餘光，察覺到阿光的注視，就側過頭來，晶亮著眼睛，問道：

「怎麼啦！」

阿光停頓了一下子，似乎表示著：「沒什麼。」

然後，他又有點猶豫、有點靦腆的問了：「暑假，還有空嗎？」

「目前，不知道耶。回家後，再看看囉！」

啊！星空真美。

星子多明亮啊！

可是，如果沒了那片無邊無際的黑，星空美嗎？

星子晶亮嗎？

美嗎？

稚盈、阿光，不再說話，只是靜靜看著夜空。

終於，平安抵達家園。

*****

涼風習習的夏夜，夕陽仍留連在天邊，揮灑著亮黃橘紅豔紫的瑰麗色彩。超大陣仗的媒體，等候著時空旅人，進行現場視訊連線，播報首航英雄的凱旋歸來。

旅人結束了時空旅行，輕盈的走下救生艙，給家人報平安。

「爸，你看，他們回來啦！」弟妹首先衝向前來，一把抱住稚盈，開心的說：「姊，怎麼去了這麼久，沒人陪我玩，想死妳啦！」

「姊也想你們啊！我不在時，可乖嗎？」

「我乖。」

「我也很乖。」

稚盈撫摸著妹妹的頭髮，感到比往常，更是柔順滑溜。

「有禮物嗎？」弟弟仰著頭，充滿期待的問著。

「喔，對不起！時空旅行，沒有獎賞、沒有禮物耶！」

「那麼，有故事嗎？」

「有，當然有！」

「那——有故事可以聽嗎？」

「沒問題！」

「耶！」弟妹歡欣鼓舞的拉著稚盈，一起回到爸爸和阿姨身邊。

「你們都來啦！」

「那是當然的囉！」童爸爸爽朗的笑著。

「阿姨，謝謝妳來接我回家。」

「我肯定要來接妳回家啊！」

「嗯，回家囉！」稚盈緊握著弟妹的手，滿心喜悅地說著。

*****

朱媽媽頂著一頭齊肩直髮，衝著阿光直問：「開心嗎？」

阿光開心的比了比勝利的手勢後，就將長手臂搭在媽媽的肩膀，雙眼看著前方，心滿意足的伴在媽媽身旁，並說：「難得喔！新髮型。」

朱媽媽驚喜萬分，說：「你發現啦！這髮型，看起來怎樣？」

阿光停下腳步，認真的看了看媽媽，才說：「年輕、有勁，老媽變成俏媽咪啦！」

「你啊，愛逗老娘開心。」朱媽媽爽朗的說著：「走，一起去跟陳爸爸、陳媽媽和稚盈一家人，說再見囉！」

「媽，過幾天我們回阿公家，好嗎？」

朱媽媽驚訝萬分，說：「好啊！」

突然，稚盈尖叫一聲，「媽媽——」，馬上從爸爸、阿姨和弟妹身旁跑開了。

「媽，妳來了。原來，妳真的沒丟下我啊！」

「傻孩子，無論多久，我還是牢記著你；無論多遠，我還是關愛著你。我從來就沒丟下妳呀！」

稚盈大大的眼眸裡，映著媽媽的臉。

她投向媽咪的懷抱，熱淚奪眶而出。

媽媽輕輕地拍著稚盈的背，柔情的低語著：「別哭了！不論發生什麼事，我都陪著你呀！」

稚盈的心底，一遍又一遍的迴盪著媽媽的話語，「我都陪著你，陪著你呀！」

然後，漸漸的，震動成好美好美的歌聲：

我的心帶著你的心，
走過青山綠水，
走過黑暗蔭谷，
家，在我心。

我的心帶著你的心，

走過繁華雲端，
走過荒涼古道，
家，在我心。

我的心帶著你的心，
走過地老天荒，
走過宇宙星海，
家，在我心。

我的心帶著你的心，
走過巨石微塵
走過寂靜空無，
家，在我心。

那綿綿不絕的歌聲，似乎響自稚盈的心底，又像是媽媽的心音，又像是女媧

的吟唱、女神的天籟，也像是宇宙的心音。

—故事結束—

《無歧行》三部曲 03

《無歧行》三部曲　異星棧

作者　林秀兒
封面\繪圖　林秀兒
版面構成　王君強、林嘉鈺
執行編輯　王君強、林嘉鈺
出版者　天鵬文化出版社
新北市板橋區成都街 53 之 3 號
電話　02-29571984
銀行戶名　天鵬文化出版社林秀兒
銀行帳號　兆豐銀行 板橋分行 206-09-01396-7
郵局戶名　林秀兒
郵局帳號　板橋後埔郵局　0311035 0520092
天鵬文化網址　www.skybirdculture.com
讀者服務信箱　info@skybirdculture.com
定價　新臺幣 400 元
初版一刷　2018.10.10
ISBN　978-986-97061-2-4
ISBN　978-986-97061-3-1(全套：平裝）新臺幣 1200 元